JN201729

失敗か
成功か？
運命の選択

3分間サバイバル

あかね書房

もくじ

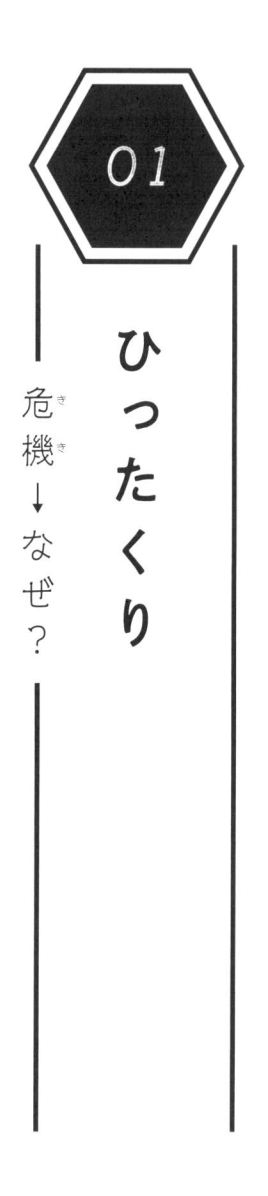

01

ひったくり

危《き》機《き》↓なぜ？

完全に不意をつかれた。

ドンッと後ろからだれかが体当たりしてきて。

左手で引きずっていたスーツケースごと倒《たお》れたはずみに、右肩《みぎかた》にかけていたバッグのストラップがずり落ちた。すると、そいつはあっという間にバッグをひったくってかけだしたんだ。

「おい！　待て！」

って言ったって待ってくれやしない。

すぐ走りだそうとしたが、重たいスーツケースを引っぱってたら追いつけるわけがない。あたりには人通りがなく、オレのかわりに追いかけてくれる人もいない。このスーツケースを路上に置いていくのも不安だ。

どうすりゃいいんだ！

そのとき、背後《はいご》から声がした。

「追いかけてください！　スーツケースならわたしが見てますから！」

ふり返ると、車いすに乗った中年男が心配そうなまなざしでオレを見上げていた。

「逃《に》げちゃいますよ！　あ、わたしが通報《つうほう》します！」

男はジーンズのおしりのポケットからスマホを取りだし、「ほら、早く！　行ってください！」とどなった。

ありがたい……と思ったが、オレはかけだそうとした足をとめた。

何か不自然じゃないか？

オレは違和感《いわかん》の正体をはっきりさせようと、男を見つめた。

主人公はこの男に不自然さを感じ、「信用できない」と直感した。男のおかしなところを見ぬけるだろうか。

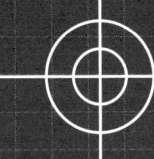

解説《かいせつ》

車いすに乗っている人が、わざわざジーンズのおしりのポケットにスマホを入れたりするだろうか。主人公は、この男が足が悪くもないのに車いすに乗っているのを見ぬいたのである。

男はひったくりの仲間だった。車いすに乗っていたのは、「通りがかりの親切な人だが、ひったくり犯《はん》を追うことはできない」という設定《せってい》のためだ。主人公がその場をはなれたら自分はスーツケースを近くに停《と》めた車に積みこみ、あとでひったくり犯《はん》と合流する手はずになっていた。

主人公をスーツケースのそばから追いはらおうとあせって、「通報《つうほう》する」と言い出したのが失敗の元。

主人公はすぐさま男を押《お》さえこんで警察《けいさつ》に通報《つうほう》。男と仲間は逮捕《たいほ》された。

違和感《いわかん》を持ったら、その理由を考えてみよう。人をだまそうとする人の作戦の「ほころび」に気がつくことができるようになる。

02 それは事故《じこ》じゃない！

危機《きき》→逆転《ぎゃくてん》？

「そんな……まさか……。」

アメミヤユウジ氏の遺体《いたい》が川から引き上げられたという知らせを受け、警察《けいさつ》にかけつけた妹のミカコは言葉を失った。

「大変お気の毒《どく》です。死亡時刻《しぼうじこく》は昨晩《さくばん》の12時すぎごろと考えられています。おそらく帰る途中《とちゅう》、足をすべらせて川に落ちたのではないかと。」

動揺《どうよう》しながらも、ミカコは冷静に頭を働かせた。

（何かおかしい。お兄ちゃんが溺《おぼ》れるなんて……。これは事故《じこ》じゃない！）

「兄はとても慎重《しんちょう》な性格《せいかく》なんです。兄が川に落ちるところを見た人はいるんですか？　いないですよね。」

「はあ。目撃情報《もくげきじょうほう》は今のところありませんが。」

「兄はだれかに殺《ころ》されたんじゃないでしょうか。」

警察官《けいさつかん》は困《こま》ったように目をふせた。

「お兄さんは、水の生物にくわしいそうですね。近所の方も、お兄さんはよくこの川をのぞきこんでいて、子どもたちにいろいろ教えていたと言っていましたよ。」

ミカコはすぐに言い返した。

「でも、そんな夜中に川をのぞきこんだりするでしょうか？　それに兄は泳ぎが得意《とくい》だったんです。このくらいの川で溺《おぼ》れるなんて信じられません。」

「しかし、先日の雨で川は増水《ぞうすい》していましたからねぇ。発見当時、お兄さんは手をしっかり握《にぎ》りしめていたんですが、開いてみると手の中には藻《も》がありました。これを取ろうとして川に落ちたんじゃないですか？」

それでも、ミカコには「事故死《じこし》ではない」と主張する理由がほかにもあった。

「わたし、兄を憎《にく》んでいた人に心当たりがあるんです。兄は熱帯魚の水槽《すいそう》をレイアウトするコンテストで3年連続で優勝《ゆうしょう》しているんです。兄が参加するまで何連覇《なんれんぱ》もしていたナガノさんは、表面上は兄と親しくつき合っていたようですが……。」

ミカコは今年もコンテストの会場でナガノに会っている。兄の優勝《ゆうしょう》が決まったときはほほえみをうかべて「おめでとう。まったくきみにはかなわないな」なんて言う。だが、ミカコは見てしまったのだ。たくさんの人に囲まれている兄に、少しはなれたところからナガノが憎悪《ぞうお》のまなざしを向けていたのを。

ミカコはハッとひらめいたことがあった。

「調査《ちょうさ》をお願いしたいことがあります。その結果が、他殺《たさつ》の証明《しょうめい》になるかもしれません。」

ミカコは、兄はナガノに殺《ころ》されたと考えている。
彼女《かのじょ》はどんな調査《ちょうさ》を願い出たのだろうか。

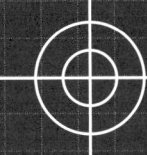

解説《かいせつ》

ミカコの訴《うった》えで、アメミヤユウジ氏の遺体《いたい》がしっかりとつかんでいた藻《も》を調べると、それはこの川にはない藻《も》だとわかった。そして、これと同じ種類の藻《も》がナガノの家の熱帯魚の大きな水槽《すいそう》から発見された。

ナガノは家を訪《おとず》れたアメミヤユウジの頭を水槽《すいそう》につっこんで溺死《できし》させ、夜になってから川に遺体《いたい》を運び、事故死《じこし》に見せかけたのだ。あわてていたので、その遺体《いたい》が藻《も》を握《にぎ》りしめていることには気づかなかった。

警察《けいさつ》は遺体《いたい》が握《にぎ》っていた藻《も》を川のものだと決めつけていた。真相にたどり着くには思いこみを疑《うたが》い、検証《けんしょう》することが必要なのだ。

03

喫《きっ》茶《さ》店《てん》の殺《さつ》人《じん》

危《き》機《き》↓逆《ぎゃく》転《てん》？


「これでわたしの潔白《けっぱく》は証明《しょうめい》されましたかね？」

わたしは、目の前でニヤニヤ笑っているカネモリ氏をじっと見つめた。

「はい。お手数をおかけしました。この書類にサインをいただけますか？」

カネモリ氏は、胸《むね》ポケットから銀色のボールペンを取り出すと、わざとらしく大きくため息をつきながらサインをし、わたしに書類を突《つ》き返した。

捜査員《そうさいん》を引き連れ、有力な容疑者《ようぎしゃ》であるカネモリ氏の部屋をくまなく調べたが、殺害《さつがい》に使ったと思われる毒薬《どくやく》はいっさい見つからなかった。

こいつがあやしいのはわかりきっているのだが……証拠《しょうこ》がなければどうにもなら

ない！

事件《じけん》が起こったのはきのうのこと。

カネモリ氏は、借金をしているノナカ氏と喫茶店《きっさてん》で会っていた。

ノナカ氏はそこで、カネモリ氏にお金を貸《か》したことを証明《しょうめい》する借用書にサインを求めた。喫茶店《きっさてん》の従業員《じゅうぎょういん》によれば、２人は決して言い争いなどはしておらず、おだやかな調子で話をしていたという。

従業員《じゅうぎょういん》はわたしに、自分の見たことをくわしく話してくれた。

「もちろんお客さんのプライベートなことは見たりしないようにしてるんです。でも、コーヒーを運んでいったとき、スーツの胸《むね》ポケットから万年筆をだしてサラサラッとサインをしていたのがぐうぜん見えちゃって。いや、隠《かく》さなかったから、しょうがないですよね。カネモリさんの名前が、ちょうどぼくの知り合いに似《に》てたから覚えてたんですけど。」

「きみがしゃべらなくても彼《かれ》の名前は借用書に残っていたんだから、安心してくれ。」

わたしは、困《こま》ったような顔で汗《あせ》をふいている従業員《じゅうぎょういん》に言った。

カネモリ氏が先に1人で店を出たあと、しばらくするとノナカ氏が苦しみだして倒《たお》れた。従業員《じゅうぎょういん》が驚《おどろ》いて救急車を呼《よ》んだが、ノナカ氏はまもなく亡《な》くなった。

ノナカ氏の家族によると彼《かれ》に持病はないという。それで胃《い》の中を調べた結果、毒《どく》物《ぶつ》が発見されたのだ。

喫茶店《きっさてん》でノナカ氏が口をつけた水のグラスやコーヒーカップは、とっくに洗《あら》われてしまっていたが、毒《どく》が盛《も》られたとしたらこのどちらかしかないだろう。

わたしはさらに従業員《じゅうぎょういん》を問い詰《つ》めた。

「ええ？　グラスやコーヒーカップに何か入れたりするようなそぶりがあれば、真っ先にお話ししてますよ！　そりゃぼくもずっと2人を観察してたわけじゃないからわかりませんが……。でも、亡《な》くなった方も一度も席を立っていませんからね。相手の目の前で毒《どく》を入れたりできますかね？」

「2人は砂糖《さとう》やミルクを入れたかな？」

「使ってないです。いらないいって言われましたから。」

「ほかに何か気づいたことはないか？　覚えていることがあれば全部話してくれ。もしあいつが犯人《はんにん》じゃないとすれば、次に疑《うたが》わしいのはきみかもしれないんだぞ。」

おどかすように言うと、従業員《じゅうぎょういん》はふるえ上がった。

「えーと。ああ、そういえば。そのカネモリさんは、オーダーするときに『濃《こ》いめに頼《たの》むよ』ってぼくに言って。ノナカさんにも『ここのフレンチローストコーヒーはおいしいんだ』って言ってました。」

「で、２人とも同じコーヒーを頼《たの》んだんだね？」

「そうです。」

まちがいない。

カネモリ氏は、毒《どく》の味をわかりにくくするために「濃《こ》いめに」と念を押《お》したんだろう。

わたしは考えこんだ。

ノナカ氏の身辺を調査《ちょうさ》したが、彼《かれ》が死んで得《とく》をする人間といえばカネモリ氏くらいしか見当たらない。借用書にサインをした直後にノナカ氏が死ぬなんて、できすぎている。

カネモリ氏と会って話したこと、喫茶店《きっさてん》の従業員《じゅうぎょういん》に聞いたこと、すべての場面を思い出して検証《けんしょう》し直すんだ。きっと、どこかにヒントがあるはずだ。

そして、数日後。わたしは逮捕状《たいほじょう》を持って、ふたたびカネモリ氏の家を訪《おとず》れた。

刑事《けいじ》はカネモリ氏が犯人《はんにん》である証拠《しょうこ》をつかんだようだ。カネモリ氏はノナカ氏にどんな方法で毒《どく》を盛《も》ったのだろうか。

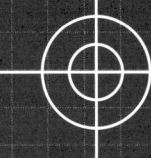

解説《かいせつ》

刑事《けいじ》は借用書のサインから万年筆のインクの成分を調べ、毒薬《どくやく》を検出《けんしゅつ》した。毒薬《どくやく》は万年筆のインクにしこまれていたのだ。

カネモリ氏は運ばれてきたカップがどちらのものかあいまいに見える位置に並《なら》べた。テーブルの上に広げてある書類を整理するふりをしながらであれば、不自然ではない。万年筆で書類にサインをしたあと、自分の近くにあるカップに毒薬《どくやく》を入れ、それをさりげなくノナカ氏のほうに押《お》しやったのである。

刑事《けいじ》は、カネモリ氏の家を訪《おとず》れたときに彼《かれ》が胸《むね》ポケットからだしたのはボールペンで、万年筆ではなかったことに着目し、そこに意味があるのではないかとにらんだのだ。

04

一難《いちなん》去ってまた一難《いちなん》

危《き》機《き》↓なぜ？

オレは深く掘《ほ》った穴《あな》にジュラルミンのトランクケースをうめると、上から土をかぶせ、目立たないようにならした。トランクケースの中には、盗品《とうひん》の宝石《ほうせき》が入っている。今、これを売りさばくわけにはいかない。当面の隠《かく》し場所として選んだのが、山道から少しはずれたこの場所だった。

そのとき。

「だれかいるのか？」

草むらの向こうから、おびえたような男の声がした。

オレはそっと懐中《かいちゅう》電灯を消す。

オレに相手の姿《すがた》が見えないんだから、向こうもまだオレが見えないはずだ。

枯《か》れ草を踏《ふ》む音が聞こえたか、それとも懐中《かいちゅう》電灯のぼんやりした光が草むらのすき間から見えたのか。いや、懐中《かいちゅう》電灯は足元しか照らしていないしな。

さあ、どうしよう。

このままじっと息をひそめているのも、なかなかつらい。

話し声が聞こえないので、相手は1人だろう。こわがらせて追いはらうか。

「ヴォー……グヴォー……。」

オレは、低いうなり声を出した。クマのつもりである。続いて繁《しげ》みをガサガサ鳴らすと。

「うわあああああっ！」

さけび声がした。効果《こうか》はバッチリだったようだ。

草を少しかき分けてのぞくと、男があわてて逃《に》げていく背中《せなか》が見えた。

やった！

子どもだましかと思ったが、うまいこと引っかかってくれたもんだ。

ふと見ると、何か黒い物体が落ちている。それはデジタルカメラだった。男が落としていったらしい。高そうなのでもらっておくことにした。

家に帰り着いてから確《たし》かめると、どれも夜の写真で真っ暗の失敗作ばかりだ。

あの男は、とんでもないオッチョコチョイにちがいない。


1週間後。

あのオッチョコチョイのおかげで、オレは頭を抱《かか》えていた。

もしかしたらトランクケースが見つかってしまうかもしれない。あんなふざけたマネなんかしなきゃよかったと後悔《こうかい》しても、もう遅《おそ》いんだが……。


あの鳴きマネのせいで、宝石泥棒《ほうせきどろぼう》が予期しなかった事態《じたい》が起こったようだ。いったいどうしたのか。

解説《かいせつ》

カメラを落としていった男は、UMA《ウーマ》（未確認《かくにん》動物）や心霊《しんれい》現象のマニアだった。この山にはイエティ（雪男）の伝説があるため、キャンプをはって探検《たんけん》中だったのだ。男は主人公のうなり声をクマではなくイエティの声だと思いこみ、ネットに「ついにイエティと遭遇《そうぐう》した」と書きこんだおかげで、次の日から野次馬《やじうま》が山に大量にやってくるようになってしまったのだ。さらに彼《かれ》は見てもいないのに「黒い大きな影《かげ》が見えた」などと言いふらしたため、大騒動《おおそうどう》に発展《はってん》。これで観光客を呼《よ》びこもうと考えた人たちがイエティのゆるキャラグッズを作って山で売り始めたので、泥棒《どろぼう》はおちおち隠《かく》し場所に近づけなくなったのだ。

05

殺《ころ》し屋

危機《きき》→逆転《ぎゃくてん》？

ある晩《ばん》、オレはH《エイチ》氏が宿泊《しゅくはく》しているホテルの部屋にしのびこんでいた。

ぐっすり眠《ねむ》っているH《エイチ》氏のベッドにそっと近寄《ちかよ》ると、ふところからナイフを取り出す。

悪いな……あんたにはなんのうらみもないが、オレにも事情《じじょう》があるんだ。

ある殺《ころ》し屋のエージェントから受けた仕事だった。エージェントへの依頼人《いらいにん》はH《エイチ》氏の妻《つま》。H《エイチ》氏が事故死《じこし》すると、妻《つま》には巨額《きょがく》の保険金《ほけんきん》が入ることになっているらしい。報酬《ほうしゅう》をいただくには、この仕事を成功させなければならない。もし捕《つか》まった場合、報酬《ほうしゅう》はゼロだ。

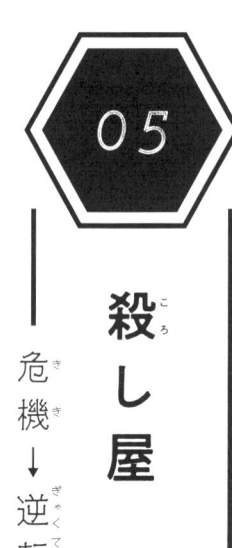

さわがれたらまずい。一気にやるしかない。

オレは大きく息を吸《す》いこむと、H氏《エイチし》の心臓《しんぞう》あたりをめがけてナイフを突《つ》き立てる。

H《エイチ》氏はうめき声さえも立てなかった。

やっちまった……。

オレは放心して、ベッドのわきにへなへなと座《すわ》りこんでしまった。

おっと、モタモタしてるわけにはいかない。

H《エイチ》氏の手首を取ると、すでに脈《みゃく》はなかった。

オレはナイフを引きぬいてぶあついタオルにくるみ、リュックにしまうと用心深く部屋を出る。そして、だれにも見られずにホテルをぬけ出すことに成功したのだ。

次の日、「H《エイチ》氏がホテルで刺《さ》された」というニュースが報道《ほうどう》されるのを確《たし》かめてから、オレはやとい主に電話をかけた。

ところが、オレに報酬《ほうしゅう》は払《はら》えないというんだ。

「どういうわけですか？　オレは確《たし》かにやったんだ。」

「しつこいぞ。ともかくおまえは失敗したんだ。まあ……捕《つか》まらないうちに早く身を隠《かく》したほうがいいかもしれないな。」

失敗したのなら、なぜ捕《つか》まるんだ？

オレはこう聞こうとしたが、すでに電話は切れていた。

主人公が依頼《いらい》された通り、H《エイチ》氏を刺《さ》したことはまちがいない。では、なぜ失敗したのだろうか。

解説《かいせつ》

検死の結果、H氏《エイチし》は刺《さ》される前に心臓発作《しんぞうほっさ》を起こして死んでいたことが判明《はんめい》した。つまり、主人公は「殺人《さつじん》」の仕事を実行できなかったとみなされたのである。

また、H氏《エイチし》の妻《つま》がかけた保険金《ほけんきん》は「事故死《じこし》」の場合のみ支払《しはら》われるものだったので、H氏《エイチし》の妻《つま》も大金を手にすることはなかった。

すでに死んでいる人を刺《さ》し、奇妙《きみょう》な「死体損壊罪《したいそんかいざい》」を犯《おか》した主人公はまさに「骨《ほね》折り損《ぞん》のくたびれもうけ」である。

06

気弱なゆうかい犯《はん》たち

危機《きき》→逆転《ぎゃくてん》？

「お嬢《じょう》ちゃん、小学5年生にしちゃずいぶんと腹《はら》がすわってるな。」

「オレたちがこわくないのか？　まあ身代金さえもらえばすぐ逃《に》がしてやるさ。」

「大病院の娘《むすめ》に生まれたのが不運だったんだ。でも、おまえのパパなら娘《むすめ》のために5千万円くらい出したって痛《いた》くもかゆくもないだろ？」

ゆうかい犯《はん》たちは楽しそうに笑ってる。

あたし、買い物に行こうとして外に出たら、いきなりこの車に押《お》しこまれたんだ。目かくしをされてて顔は見えないけど……この人たち、乱暴《らんぼう》もしないし、あまり悪そうじゃない感じする。しゃべってる雰囲気《ふんいき》からして、フツウの人が出来心でやっちゃった、みたいな。

ゆうかいって、すごく罪《つみ》が重いって聞いたことある。日本の警察《けいさつ》って優秀《ゆうしゅう》なんだよ。絶対捕《ぜったいつか》まると思う。こんなことやめたらいいのに。

身代金を受け取ろうなんて思わないで……あきらめて逃《に》がしてくれないかな。

そうだ。

あたしは、パパが冗談《じょうだん》で言ってたことを思い出した。

試《ため》してみよう。

「あの……。お兄さんたち、いい人だと思うから本当のこと言うね。」

「なんだよ、いい人って。なめてんじゃねえぞ。」

「そんなんじゃないよ。あたしといっしょにいたらまずいことになるから！　言いにくいんだけど……。」


１分後。

車は急停車《きゅうていしゃ》し、あたしを放り出すように降《お》ろした。

そして、あたしが目かくしをはずしたときには、もう車は遠くに走り去っていたんだ。

ゆうかい犯《はん》たちが一刻《いっこく》も早く、彼女《かのじょ》を車から降《お》ろしたくなった理由とは？　主人公は彼《かれ》らになんと言ったのだろうか。

解説《かいせつ》

主人公はゆうかい犯《はん》に「医者の父親が感染症《かんせんしょう》の治療《ちりょう》を担当《たんとう》していて、その病気にかかった」とウソを言ったのだ。その病気は死亡率《しぼうりつ》が高いと言われ、おそれられている。今は元気に見えても、「潜伏期間《せんぷくきかん》中（症状《しょうじょう》は出ていないが感染《かんせん》している状態《じょうたい》）」の可能性《かのうせい》はある。ゆうかい犯《はん》たちはふるえ上がり、主人公をすぐに車から降《お》ろしたのだ。

この主人公の場合はたまたまうまくいったようだが、万が一ゆうかいされるような目にあったときは、犯人《はんにん》を刺激《しげき》するようなことを言わないこと。逆上《ぎゃくじょう》して、悪い結果を招《まね》くことになるかもしれない。

07

クリスマスの夜

危機《きき》↓逆転《ぎゃくてん》？

あるクリスマスの夜。

サカタ氏と妻《つま》のサオリは、ごちそうが並《なら》ぶテーブルをはさんで座《すわ》っていた。

「サオリ、今年もすばらしい料理をありがとう。来年のクリスマスもおたがい健康でいっしょにすごせますように。メリー・クリスマス！」

「メリー・クリスマス！」

2人でワイングラスをカチッとあわせてかんぱいしたときだった。

リビングルームのドアが開き、いきなり黒ずくめの男が入ってきたのだ。手には大きな出刃《でば》包丁を握《にぎ》っている。

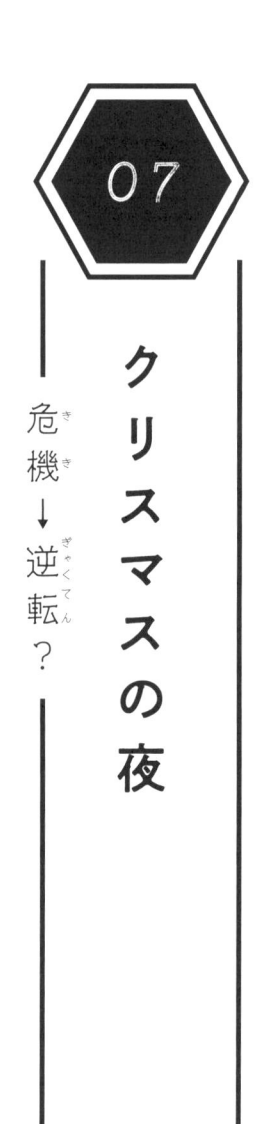

「おまえら、そこから動くな！」

サカタ氏とサオリは突然《とつぜん》のことにものも言えない。

男は部屋の中をチラチラと見ながら、包丁を突《つ》きつけて近寄《ちかよ》っていく。

「なかなかいい暮《く》らしをしてるな。まあ、それもきょうで終わりになるが……。」

「お金ならあげます。ぜ、絶対《ぜったい》に通報《つうほう》しませんから、すぐに出ていってください。」

サオリがガタガタふるえながら、弱々《よわよわ》しい声で言った。

「ははは。そんなの信用できるわけないじゃねえか。」

サカタ氏は男をにらみつけている。サオリはハラハラした。夫の性格《せいかく》はよくわかっている。彼《かれ》は抵抗《ていこう》するつもりなのだ。

（やめて。この人を刺激《しげき》しないで……。）

サオリは夫に目配せしたが、彼《かれ》はじっと男をにらみつけていて気づかない。

男はバカにしたような笑いをうかべながら、包丁を持っていないほうの手でテーブルの上からエビフライをつまみ上げた。

その一瞬《いっしゅん》のスキをサカタ氏は見逃《みのが》さなかった。

まだ手に持っていたワイングラスの中身を男の顔面にぶちまけ、捨《す》て身で飛びかかったのである。サカタ氏が一発なぐると、男はバタッと倒《たお》れた。サカタ氏はあっさり男を組みふせたことにわれながら驚《おどろ》きつつ、男に馬乗りになった。

「おい、早く警察《けいさつ》を呼《よ》べ！　なんだ……まだふるえてるのか、しょうがないな。オレに電話を貸《か》せ！」

サカタ氏の勇気ある行動によって、2人の命は助かった。

しかし、2人はこの直後に離婚《りこん》し、翌年《よくねん》のクリスマスをともにすごすことはなかったという。

じつはこのあと、夫妻《ふさい》のどちらかが逮捕《たいほ》された。
それはサカタ氏か、それともサオリ夫人か。

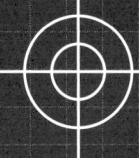

解《かい》説《せつ》

サオリはこのあと殺人未遂《さつじんみすい》の罪《つみ》で逮捕《たいほ》された。サカタ氏のワイングラスには、サオリによって毒薬《どくやく》がしこまれていたのだ。強盗犯《ごうとうはん》がかんたんに組みふせられたのはサカタ氏のパンチが効《き》いたせいではない。顔面に浴びせられたワインのためだったのだ。強盗犯《ごうとうはん》は手当てを受けて、一命をとりとめた。

08

謎《なぞ》の暗号文

危機《きき》→逆転《ぎゃくてん》？

犯罪組織《はんざいそしき》では、きのうまでの仲間が敵《てき》になることがある。

組織《そしき》を裏切《うらぎ》ったのはオレなのだから、仕方がないんだが……。

隠《かく》れ家《が》に帰ると、同僚《どうりょう》のコードネーム〝オットセイ〟が待ち受けていた。

「裏切《うらぎ》り者を逃《に》がすつもりはないぜ。〝サンカク〟さんだけはおまえをかばってたけど……でも最後には『好きにしろ』って言ったぜ。」

「ウソだ。」

〝オットセイ〟は鼻で笑うと、ポケットから1枚《まい》の紙きれを出した。

「ほら、〝サンカク〟さんからおまえへの伝言だ。」

おまえみたいなマヌケは香川《かがわ》に帰れ!!!!!

さしみがあまる、ゆかい。またサメくれ!


「さしみっていうと、あれか……?」

「ああ。今夜、いつもの料亭《りょうてい》で盛大《せいだい》に宴会《えんかい》をやることになってるんだ。おまえにはもう関係ないけどな。そのことだろ。」

〝オットセイ〟は興味《きょうみ》なさそうに言った。

「ああ。〝サンカク〟さんは魚が好きだからな。前にサメのさしみを送ったとき、すごく喜んでくれた。〝サンカク〟さんには世話になった。また送るって言っておいてくれ。」

言いながら、オレはこの不思議な文章の意味を必死で考えていた。

〝サンカク〟さんはきっと何かをオレに伝えようとしているはずだ。

「ふん。〝サンカク〟さんはおまえを生かして除名《じょめい》にするつもりらしいが、オレはそうじゃねぇんだよ。おまえにはムカついてるからな。」

〝オットセイ〟は、右手を上着のふところにさしこんだ。銃《じゅう》を握《にぎ》っているにちがいない。こいつはオレを殺《ころ》す気だ……。

急いで解読《かいどく》しなきゃいけない。

えーと、この「マヌケ」がくさいな。1行目はヒントにちがいない。

わかった。2行目から「マ」をヌケってことか！

「さしみがあまる、ゆかい。またサメくれ！」から「マ」をぬいて読むと。

「さしみがある、ゆかい。たサメくれ！」？

これじゃ文章にならない。

きっとヒントはもうひとつあるんだ。

オレは香川県《かがわけん》の生まれじゃない。

だから「香川《かがわ》に帰れ」という言葉もヒントのはず。

これは何を意味してるんだろう。

「香川《かがわ》」から連想されるものといえば……？

この暗号文はなんと伝えているのだろうか。

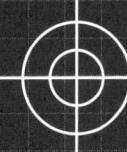

解説《かいせつ》

1行目はヒントで、2行目が解読《かいどく》するべき暗号文になっている。「マヌケ」というキーワードに注目して「マ」をぬかして読むことに加え、「香川《かがわ》」が示《しめ》すものがわかればかんたんに解《と》ける。

香川《かがわ》といえば、だれもが思いうかべる特産物がある。「さぬきうどん」……つまり、「マ」に加えて「さ」をぬいて読めばいいのだ。

「しみがある、ゆかい。たメくれ!」を続けて読むと「しみがある床板《ゆかいた》めくれ!」となる。主人公はしみがある床板《ゆかいた》を勢いよく踏《ふ》みぬき、あらかじめ〝サンカク〟がしこんであった銃《じゅう》で〝オットセイ〟を撃退《げきたい》。そこに隠《かく》されていた現金《げんきん》を持って、組《そ》織《しき》の手の届《とど》かないところに逃《に》げることに成功した。そしてじつは同じく組織《そしき》をぬけていた〝サンカク〟と合流したのである。

09

名《めい》探《たん》偵《てい》・うちのお母さん

危《き》機《き》→逆《ぎゃく》転《てん》？

しまったなぁ。やっぱ、もう配達の人、来ちゃってたか。

ぼくは郵便箱《ゆうびんばこ》に入っていた「不在配達票《ふざいはいたつひょう》」をながめた。

鍵《かぎ》を開けて家に入ると、真っ先にリビングのエアコンのスイッチを入れ、それから冷凍庫《れいとうこ》に10本入りのスイカアイスバーの箱をつっこむ。

きょうはお母さんに、「塾《じゅく》が終わったらすぐ帰ってきて。6時ごろに宅配便《たくはいびん》が来ることになってるから受け取っておいてね。北海道のおばあちゃんがトウモロコシを送ってくれたんだって」って言われてたのに、すっかり忘《わす》れてた。スーパーでアイスを買ったときは覚えてたんだけどさ。店を出たあとに友だちとバッタリ会って、しゃべってるうちに遅《おそ》くなっちゃったんだ。

もう6時半をすぎている。

リモコンのボタンを押《お》して、設定温度《せっていおんど》を下げまくる。お母さんが帰ってくるまでに部屋が冷えてないと、今帰ったばっかなのがバレちゃうから。

でも……。

ぼくは、もう一度「不在配達票《ふざいはいたつひょう》」をよく見た。ここには、配達の人が家に来た時間が「18：12」としっかり印刷されている。

そのとき、いいアイディアを思いついたんだ。

インターホンがこわれてて鳴らなかったことにすればいい。

家のインターホンはかん電池式で、前に電池が切れて鳴らなかったことがあったのを思い出したんだ。

ぼくは、かん電池のセットされてる箱を開けると、ちょっとだけ電池をうかせた。

こうすれば、ぼくは家にいたけど「何かのはずみで電池がずれたせいで、インターホンが鳴らなかった」「だから配達の人が来たのに気がつかなかった」ってことにできる。

ぼくは急いで「不在配達票《ふざいはいたつひょう》」を郵便箱《ゆうびんばこ》にもどす。

まさに間一髪《かんいっぱつ》だった。

ぼくが部屋にもどるとすぐに、お母さんが帰ってきたのだ。手に「不在配達票《ふざいはいたつひょう》」を持って……。


「あ、かん電池がちょっとずれてるみたい。ほら、お母さん、見て！」

計画通りにやったけど、ちょっと演技《えんぎ》がわざとらしかったかな……。

お母さんは眉《まゆ》をひそめている。

宅配便《たくはいびん》の受付センターに電話したけど、きょうはもう配達できないことがわかったからきげんが悪いのかも。たぶん、もうじきおばあちゃんから「届《とど》いた？　とれたてのトウモロコシだからすぐにゆでて食べてね」って電話がかかってくるから、気まずいと思ってるんだろう。

「ねえ、ホントにまっすぐ帰ってきたの？」

ドキッ。

「うん。スーパーでお姉ちゃんに頼《たの》まれてた買い物して、すぐ帰ってきたよ。」

「何買ったの？」

「ほら、お姉ちゃんの好きなスイカアイスバー。きょう特売だからって。」

「ふーん……。」

お母さんは台所に行くと、晩《ばん》ご飯のしたくを始めた。

ごまかせたと思ったんだけど。

数分後、お母さんはテレビを見てるぼくの肩《かた》をたたいて言ったんだ。

「こら。ウソついたでしょ？　正直に言いなさい！」

お母さんはすごく自信ありげな顔をしてたから、ぼくはもう降参《こうさん》することにした。

「うん。ごめんなさい……。」

それにしても、なんでバレたんだろう？

お母さんは主人公のウソをなぜ見破《みやぶ》ったのだろうか。

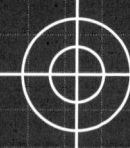

解説《かいせつ》

主人公が冷凍庫《れいとうこ》に入れたスイカアイスバーの形がゆがんでいたためだ。主人公がスーパーを出てから友だちと長々《ながなが》とおしゃべりしていた間に、スイカアイスバーの外側はとけてしまった。スイカアイスバーは箱入りだったので、主人公はそれに気づかなかったが。このことから、お母さんは主人公がどこかで道草を食ったことを確信《かくしん》したのである。

主人公がこれに気づいていたら、もし指摘《してき》されても「帰ってすぐに冷凍庫《れいとうこ》に入れるのを忘《わす》れちゃったんだよ」と言いぬけることができただろう。もっとも、こんなふうにボロが出るものだから、ウソはつかないほうがいい。

10

わなをしかける

危《き》機《き》↓なぜ？

とある犯罪者組織《はんざいしゃそしき》では、定期的に研究会が開かれていた。犯罪者《はんざいしゃ》たちは日々《ひび》いろいろ知恵《ちえ》をしぼっているが、警察《けいさつ》によってやり口が市民に伝えられると成功率《せいこうりつ》は低くなる。犯罪者《はんざいしゃ》たちは新しいアイディアを出し合っては、それぞれちがう地域《ちいき》で実《じっ》践《せん》しているのである。やがて、その手法が警戒《けいかい》しつくされるまで。

「最近、オレが成功したのは……。」

と、口火を切ったのはベテランの通称《つうしょう》〝トンビ〟だ。ちなみにこのグループに属《ぞく》する者たちは空き巣ねらいや詐欺《さぎ》が専門《せんもん》で、殺人《さつじん》は犯《おか》さない。

「招待券《しょうたいけん》を送りつける方法だ。話題になってる舞台《ぶたい》の指定券《していけん》……もちろん、日時が決まってるやつだ。そうすると確実《かくじつ》に留守《るす》になるだろう？」

「興味《きょうみ》がなくて行かないってこともあるんじゃないのか？」

〝ホットドッグ〟が言うと、〝トンビ〟はあきれたように言った。

「そこは先に情報収集《じょうほうしゅうしゅう》しておくのさ。でも、人ってのはタダのものに弱いからな。」

「そうか。でも、チケット代はかかるよな。」

「そのくらい投資《とうし》しなくてどうするんだよ。かわりに、できるだけ金持ちそうな家をねらえばモトは十分とれるぜ。」


研究会に参加していた〝風船〟と〝カマキリ〟は2人で組んでさっそくこの方法を試《ため》すことにした。2人とも借金取りに追われる身で、できるだけ早く数百万の金を調達したかったのだ。

2人がターゲットに選んだのは、裕福《ゆうふく》そうな初老の夫婦《ふうふ》が住む家だ。「お屋敷《やしき》」と言ってもいい豪邸《ごうてい》である。車庫にはドイツ製《せい》の高そうな車がおさまっている。夫婦《ふうふ》は仲むつまじく、よくいっしょに出かけていく。庭に大きなスーツケースを

2つ虫干《ぼ》ししていたことから、旅行好きと推測《すいそく》できた。

「これだけの豪邸《ごうてい》だと、金目の美術品《びじゅつひん》なんかもあるかもしれないな。大物を運び出すとなると時間もかかるし。」

相談した結果、2人は近くの温泉《おんせん》旅館の1泊《ぱく》2日の宿泊券《しゅくはくけん》を送ることに決めた。

それから夫婦《ふうふ》を尾行《びこう》して利用している銀行を調べ、「当行を使っている方の特別プレゼントに当選した」という手紙をつけて郵送《ゆうそう》した。もちろん予約はこの夫婦《ふうふ》の名前で入れ、支払《しはら》いもすませてある。パソコンで作成した手紙には「ほかの人に権《けん》利《り》をゆずることはできない」と書いておいた。

そして、いよいよ当日となった。

朝から上天気で、まさに旅行日和《びより》。

〝風船〟と〝カマキリ〟は近所に潜伏《せんぷく》し、夫婦《ふうふ》が出かけていくのを息をひそめて待っていた。

ところが、この日。いくら待っても夫婦《ふうふ》は出かけなかったのだ。

〝風船〟と〝カマキリ〟はターゲットを見あやまったらしい。
老夫婦《ろうふうふ》はなぜ旅行に出かけていかなかったのだろうか。

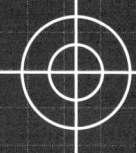

解説《かいせつ》

老夫婦《ろうふうふ》は突然《とつぜん》「1泊《ぱく》2日の温泉《おんせん》旅行が当たった」ことをあやしまなかった。しかし、お金持ちの彼《かれ》らにとってそれはありふれた幸運で、無料の招待《しょうたい》をムダにするのを「もったいない」とも感じなかったのである。人の暮《く》らしぶりは外から観察《かんさつ》できても、価値観《かちかん》まではなかなか読めないものである。

数万円の赤字を出した〝風船〟と〝カマキリ〟は失敗の理由がわからないまま、ひたすらおたがいをののしり合い、急いで遠くの地へ夜逃《よに》げしたという。

11

神の手
危機《きき》↓逆転《ぎゃくてん》？

「ねえ、これ注文したの、オイカワさん？」

コンビニエンスストアに出勤《しゅっきん》してきたヤシロ店長は、高々《たかだか》と積み上げられた段《だん》ボール箱を見て途方《とほう》に暮《く》れていた。オイカワさんは涙目《なみだめ》でうなずいている。

「て、店長……やっちゃいました……。20個《こ》注文するはずが、まちがって200個《こ》って打ちこんじゃったんです。」

ヤシロ店長は、段《だん》ボール箱に印刷された商品名を読んだ。

「カニミソクリームサンドクラッカー？　うち、こんなの仕入れてたっけ？」

「それもまちがいで……ホントは『カニクリームコロッケスナック』を注文したつ

もりだったんです。」

「まあ、やっちゃったことはしょうがないよ。」

「ホントにすみません！　できるだけ友だちを呼《よ》んで買ってもらうようにしますから。」

オイカワさんは必死であやまり続けている。

友だちを呼《よ》ぶといっても、10人くらい来ればいいほうだろう。

店長は試《ため》しに箱をひとつ開け、クラッカーを口にほうりこんだ。

「店長、どうですか？」

店長はだまってオイカワさんに箱を差し出す。

「まずいですね……。」

「まずいな。両方の意味で。」

店長は腕組《うでぐ》みをした。

「そうだな、入口前の新商品コーナーのスペースを空けて、ありったけ並《なら》べよう。」

「はいっ、すぐやります！」

オイカワさんはせっせと手を動かし、ラックに「カニミソクリームサンドクラッカー」を陳列《ちんれつ》し始めた。

店長はその間にすばやく「人気商品！　カニミソクリームサンドクラッカー　大量入荷しました！」という大きなポップを作った。

「店長、人気商品なんて書いちゃっていいんですかね？」

「いいのいいの。ともかく早くこれを売っちゃわないと。『まずい』っていう感想が広まらないうちに！」


はば1メートルほどのラックに上から下まで「カニミソクリームサンドクラッカー」の箱がぎっしり並《なら》べられた。天井《てんじょう》からは店長の作ったポップがたれさがっている。

「これでいいですかね、店長？」

「いや、この並《なら》べ方じゃダメだな。」

店長はラックに手を入れた。

それから訪《おとず》れた客たちが1個《こ》、2個《こ》と手に取り始めた。1人で5、6個《こ》、レジに持ってくる人もいた。

そして、「カニミソクリームサンドクラッカー」は翌日《よくじつ》までに200個《こ》全部が売れてしまったのである。

店長はどんな並《なら》べ方をしたのだろうか。

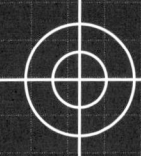

解《かい》説《せつ》

オイカワさんはラックにぎっしり商品を並《なら》べたが、店長は箱をどんどんぬき取ってラックをスカスカにした。

ポップには「人気商品」「大量入荷」と書いてあるのにラックが空いていると、「売れていて品薄《しなうす》になっている」ように見える。コンビニにやってきた客は「そんなに人気の商品なら買えるうちに買っておかなくちゃ」という気持ちになったのである。人間の心理をついた店長の作戦はみごとに成功した。

12

スイカ泥棒《どろぼう》

失敗↓なぜ？

「正直に名乗り出てほしい。この中にきのうの夜、近所の畑からスイカを盗《ぬす》んだやつはいないか？」

ショウジがこっちをチラッと横目で見てきたのがわかったけど、オレは無視《むし》した。バカだなぁ。ここはシラを切り通さなきゃ。だれにも見られてないんだから、だまってりゃバレやしない。

きょうはサッカーチームの夏合宿最後の日。これから帰るところなんだ。

きのうの夜、合宿の打ち上げの花火大会で大騒《おおさわ》ぎしたあと、興奮《こうふん》がさめなくて。いったんはふとんに入ったけど、数人で外にぬけ出したんだ。

合宿所のそばのスイカ畑から、だれかがスイカをひとつ持ってきた。最初はふざけて「スイカでサッカー」とかやってたんだけど。そのうち「スイカ早食い大会」をやろうってことになって、1人1個《こ》ずつとってきてさ。立てかけてあった棒《ぼう》で割《わ》って食べまくったんだ。

食べカスはゴミ箱に捨《す》てたりしたらバレるから、合宿所の裏《うら》の原っぱにうめて証《しょう》拠隠滅《こいんめつ》。

後始末はカンペキだったけど、さすがに5個《こ》もとったのはまずかったな。畑には数え切れないくらいあるから、わかんないだろうと思ったんだけど。

結局、オレたち仲間は全員口を割《わ》らなかった。

監督《かんとく》もあきらめて、最後にはこう言った。

「わかった。じゃあ、農家の方には『やったのはうちの子たちではありません』と言っておくぞ。」

ところが、合宿から帰ってしばらくたってから、オレたちはふたたび監督《かんとく》に同じことを聞かれた。

そして、今回ばかりは白状《はくじょう》しないわけにいかなくなってしまったんだ。

どうしてスイカ泥棒《どろぼう》をしたことがバレたのだろうか。

解《かい》説《せつ》

主人公たちが合宿所をはなれてからしばらくして、合宿所の裏《うら》の原っぱからスイカの芽が元気にのび始めたため。

野菜や果物を食べたあとに種をまいたことがある人はわかったのではないだろうか。スイカは発芽率《はつがりつ》が高く、育てやすいことで知られている。

13

黄金の招き猫《まねねこ》

失敗↓逆転《ぎゃくてん》？

最近、市内で空《あ》き巣《す》事件《じけん》が多いっていう話は聞いてたんだけど。同じアパートのとなりの人によると、うちからほんの数分のアパートに空き巣が入ったんだって。

「うちのアパートみたいな鍵《かぎ》って、けっこうかんたんに開けられちゃうらしいよ。気をつけないとね。大家さんに相談して、最新式の鍵《かぎ》に換《か》えてもらうように相談しようと思ってるんだけど。」

よりによって出張に行く前の日に、いやな話を聞いてしまった。気をつけるといっても……どうすればいいんだろう？

明日から3日間留守《るす》にするのが、ものすごく心配になってきた。

あたしの部屋には、ひとつだけ「財産《ざいさん》」がある。

おじいちゃんが亡《な》くなる前に残してくれた、金の招《まね》き猫《ねこ》だ。

「これは純金《じゅんきん》だから。困《こま》ったときにはけっこうな大金になるからね」って。

まさかとは思うけど、一応隠《いちおうかく》していこう。

でも、どこに？

部屋のすみっこに置いていた招《まね》き猫《ねこ》はずっしり重い。10キロくらいはありそうだ。

クローゼットの中はありきたりだし。キッチンのお鍋《なべ》とかを収納《しゅうのう》してるところもすぐ見つかりそうだし……。

そうだ。ここならいいんじゃない!?


次の日、新幹線《しんかんせん》の中で。

「で、結局、押入《おしいれ》に隠《かく》したんですよ。」

自分のと、上司のハタナカさんのスーツケースを網棚《あみだな》に押《お》し上げたあと、あたしが招《まね》き猫《ねこ》の話をすると。

「ずいぶんふつうだなあ。」

ハタナカさんに笑いとばされて、あたしはちょっとふくれた。

「ただ押入《おしいれ》に入れただけじゃないです。おふとんの間に隠《かく》してきたんですよ。意外《いがい》性《せい》あると思いませんか？」

「どうかなあ。」

そんなにバカにしたような言い方しなくたっていいのに！

あたしは腹《はら》が立ってきた。それから、猛烈《もうれつ》に不安になってきた。

出張最後の日。仕事がスムーズに終わったので、思ったより早く東京に帰ってこられた！

なんだか家のことが心配で、早く帰りたくてしょうがない。

でも……時計を見ると、まだ3時だ。一回、会社にもどらなくちゃ。

そんなことを考えていると、ハタナカさんがタブレットをいじりながら言った。

「ぼくはこれからZ《ゼット》社に行かなきゃならなくなった。きみは会社にもどってこの書類を開発部のサヤマさんに届《とど》けてくれないか？　それから、打ち合わせで決まった内容をレポートにしておいてほしい。ぼくがあとでチェックして……あしたの朝にはX《エックス》社に送りたいからね。」

「わかりました。」

あたしは会社にもどり、ハタナカさんの指示《しじ》通りに仕事を進めた。がんばって集中してやったので、5時半には終わらせることができた。

3日ぶりに部屋の前に立ったとき、なんだかいやな予感がしたんだ。

ドアノブを握《にぎ》ると。

鍵《かぎ》が開いてる――――！

ホントに……空き巣が入ったんだ。

もしかして、あたし鍵《かぎ》かけるの忘《わす》れた？

ううん……あんなに空き巣の心配してたんだから、そんなわけない。絶対鍵《ぜったいかぎ》かけて出かけたはず。

足がガタガタふるえてくる。こういうとき、どうすればいいんだっけ？

部屋に入らないほうがいい？　中にまだ泥棒《どろぼう》がいたらヤバいよね。

そう思いながらも、中を確《たし》かめたくて……そっと、音を立てないようにドアノブを回し、ドアを開く。

すると――。

男が寝《ね》そべっている……下半身だけが見えた。

わけがわからないまま、さけび声を上げそうになるのをこらえてドアを閉《し》め、あたしは警察《けいさつ》に電話したんだ。

「もしもし、すぐに来てください！　男の人が家の中にいるんです。寝《ね》てるみたいなんですけど……。はい、今、玄関《げんかん》の外からかけてます。うちの住所は……。」

なぜ、空き巣は部屋の中で寝《ね》ていたのだろうか。

解《かい》説《せつ》

やってきた警察官《けいさつかん》とともに部屋に入った主人公は驚《おどろ》いた。空き巣の正体はハタナカさんだったのだ。ハタナカさんは、主人公から隠《かく》し場所を聞いて、純金《じゅんきん》の招《まね》き猫《ねこ》を盗《ぬす》み出すことを思いついた。出張中、主人公のバッグからひそかに鍵《かぎ》をうばい、合い鍵《かぎ》を作ってもどしておいたのだ。

ハタナカさんが「Z《ゼット》社に行く」と言ったのはウソで、彼《かれ》は主人公を会社にもどらせておいて、自分はまっすぐ主人公の家に行った。しかし、押入《おしいれ》を開けたとたん、高く積み上がったふとんの間から純金《じゅんきん》の招《まね》き猫《ねこ》がすべり落ちてきて頭を直撃《ちょくげき》。ハタナカさんは気絶《きぜつ》してしまったのだ。

ハタナカさんは命に別状《べつじょう》はなかったが、もちろんすぐに逮捕《たいほ》された。

それにしても……財産《ざいさん》の隠《かく》し場所は、むやみに人に話したりしないほうがいい。

14

初めての花束

失敗→なぜ？

「タケル、ホントに1人で行ける？」

玄関《げんかん》で靴《くつ》をはいていると、ママが後ろから声をかけてきた。

「だいじょうぶだってば。わかんなかったら人に聞くし。じゃ、行ってきます。」

ぼくは家を出ると、駅に向かって歩き始めた。

目的地までの乗りかえルートは頭に入ってる。

きょうはこれから、同い年のいとこのキミカのバレエの発表会を見に行くんだ。

お姉ちゃんが熱を出しちゃって、1人で行くことになったのはちょっと照れくさいけど。キミカもアメリカから帰ったばかりのいとこが晴れ舞台《ぶたい》を見に来るのを楽しみにしてるって言ってるらしいし。

パパの仕事の都合でアメリカに住んでたぼくらが8年ぶりに帰国したのは、ほんの2週間前だ。来週から始まる新年度に合わせて帰ってきたってわけ。

ママはやたらと心配するけど……ぼくは5歳《さい》まで日本にいたし、アメリカでも家族の間じゃ日本語でしゃべってたんだから、日本で暮《く》らすことになんの不便も感じてない。読み書きだって問題ない。

でも、1人で遠出するのは初めてだったから、電車の乗りかえにばっかり気を取られてたんだよね。発表会のホールに近い駅に着いたときに思い出したんだ。花を買うのを忘《わす》れてたのを。

幸い、駅のまわりはにぎやかな商店街《しょうてんがい》だったから、花屋さんはすぐに見つかった。よかった、ママから何か花束を買っていくようにってお金もわたされてたからね。こういうの、きちんとやらないとあとでギャーギャー言われるんだ。

だけど……花なんて買うの初めてなんだよな。どんなの買えばいいんだろう。バラとか？

バラの花束なんて、王子様じゃあるまいし大げさすぎてはずかしい。

もっとフツーの、さりげない感じのがいいなぁ。

あ、これなんかいいんじゃん？

白に黄色、紫《むらさき》の3色でまとめてる花束。キミカのイメージにも合う気がする。

写真で見たバレエの衣装《いしょう》もこんな色だったし！

ぼくはその小ぶりな花束を手に、ホールに向かったんだ。


「タケル、ひさしぶり！　わざわざ来てくれてありがとう！」

発表会が終わったあと、ロビーに出てみると。たくさんの友だちに囲まれてるキミカに近づけなくてウロウロしてたら、キミカのほうからぼくを見つけてくれた。

手には花束をいっぱい抱《かか》えてる。もっと豪華《ごうか》なのにしたほうがよかったかなと思ったけど、せっかく買ってきたんだし。

「すごくカッコよかったよ！」って言って、パッと花を差し出した。

「あ、ありがとう…」

ちょうどそこに、キミカのパパとママもやってきて。

「あら〜タケルちゃん。大きくなって。きょうは来てくれてありがとうね。」

「今度ゆっくりうちに来て、アメリカの話を聞かせてよ。」

なんて話し始めたから、なんとか間が持った。


「おかえり、タケル。キミカちゃん、どうだった？」

帰るなりママが聞いてきたから、ぼくは一生けんめい発表会のもようを解説《かいせつ》した。バレエのことはよくわかんないけど、キミカはホントにカッコよかったんだ。高く足を上げたりジャンプしたり、ものすごい速さでクルクル回ったり。

「そういえば、ちゃんとお花は買っていったんでしょうね？」

「うん……まあ。」

「まあって、何よ。」

ママが詰《つ》め寄《よ》ってきたから、ぼくは気になってたことを話したんだ。花束をわたした瞬間《しゅんかん》のキミカの表情《ひょうじょう》、なんだかビミョーだったんだよね。友だちの輪にもどるとき、フワフワした衣装《いしょう》のスカートに隠《かく》すみたいにしてたし。

ショボい花束って思われたのかな……。

「あんた、どんな花を買っていったの？」

「ええと……。」


♪♪♪


ママのスマホの着信音が鳴った。

「おばさんからお礼のメールだわ。写真もついてる。」

キミカを中心に友だち、キミカのパパ、ママが並《なら》んだ集合写真。

キミカの腕《うで》の中は花束でいっぱいだが……ぼくは写真を拡大《かくだい》する。

「ぼくのはこれ。おじさんが持ってるやつ。」

ママは、ぼくが指さした花束をじっくりながめて、突然《とつぜん》笑い出したんだ。

「考えてみたら8年間、ほとんど日本に帰ってきてなかったんだもんね。まあ、失敗してもしょうがないよ。」

主人公はちゃんとした「花束」を買っていった。
いったい何が失敗だったのだろうか。

解説《かいせつ》

タケルが買った白と黄色と紫《むらさき》の小菊《こぎく》の花束は、仏様《ほとけさま》に供《そな》える「仏花《ぶっか》」だったのだ。季節はちょうど3月の下旬《げじゅん》。お彼岸《ひがん》のシーズンには、どこの花屋さんでも仏花《ぶっか》を売っている。5歳《さい》のころから8年間日本をはなれていたタケルが仏花《ぶっか》を知らないのも無理はない。花屋さんに聞いたところでは、外国の人は仏花《ぶっか》をふつうにきれいな花束としてよく買っていくという。

キミカも、タケルが「仏花《ぶっか》」を知らないことは想像できたかもしれない。だけど、友だちの手前、ちょっとはずかしくて隠《かく》してしまったのだ。

15

父の遺産《いさん》

危機《きき》↓なぜ？

知らない番号から電話がかかってきた。
不審《ふしん》に思いながら出ると……相手は出版社《しゅっぱんしゃ》の編集者《へんしゅうしゃ》だった。
オレが応募《おうぼ》した小説が、新人賞《しんじんしょう》をとったんだってさ！
編集者《へんしゅうしゃ》の説明を、ぼんやりと聞く。
へ～え。こんなことってあるもんなんだなぁ。
さめた気持ちでいるのは、その小説はオレが書いたものじゃないからだ。
半年ほど前に死んだ親父《おやじ》のパソコンをふと開いてみたら、この原稿《げんこう》があって。
親父《おやじ》はオレとちがって読書が大好きだったんだが、自分でも小説を書いてたとは知らなかった。

読み始めたけど、なんかネチネチまわりくどい文章で頭に入ってこない。3ページであきらめた。そしたらたまたまネットで「小説新人賞募集《しんじんしょうぼしゅう》」って広告を見かけてポチッと押《お》したら、応募《おうぼ》の画面が出てきたんで……ノリでそこに送ってみたわけ。しばらく働かずに親父《おやじ》の遺産《いさん》で暮《く》らしてたけど、その金もつきてきた。もしかして金になったらいいなと思ったんだが、本当に賞を取るとはねえ。

賞金《しょうきん》を50万円もらえるらしい。ラッキー！

できのいい親父《おやじ》を持つってサイコーだな。


もらえるものだけもらえりゃいいんで、そのあとどうなるかなんてまったく考えてなかった。授賞式《じゅしょうしき》に出る約束をすっぽかしたら、編集者《へんしゅうしゃ》から怒《いか》りの電話がかかってきたけど。

編集者《へんしゅうしゃ》はやたらに電話をかけてきて（出ないけど）、「次回作の打ち合わせをしましょう」というメッセージを残していたが、無視《むし》。一応親父《いちおうおやじ》のパソコンを探《さが》してみたけど、ほかに小説のストックは見つからなかったしな。

しばらくすると、オレの（親父《おやじ》の）小説は単行本になって店頭に並《なら》んだ。

これが……どういうわけか、バカ売れしたんだ！

編集者《へんしゅうしゃ》からは一日に何回も電話がかかってくるようになった。「マスコミからの取材が殺到《さっとう》してるからインタビューを受けてほしい」という内容だ。

ついには家にまでやってきた。

居留守《いるす》を使ったけど、あまりのしつこさにこわくなってホテルに避難《ひなん》することにした。幸い、金はどんどんふりこまれてくる。


それにしても、この小説そんなにおもしろいのか？

ネットで感想をチェックしてみると……。

「父と子の関係性《かんけいせい》、ひとつひとつの会話にすごくリアリティを感じます。」

「息子《むすこ》がイヤな性格《せいかく》すぎでちょっと気分悪いけどおもしろかった。迫力《はくりょく》があります！」

「ハラハラする展開《てんかい》に引きこまれて読んだ。この結末のあと、どうなるのかな。続《ぞく》編《へん》希望。」

だんだんイヤな汗《あせ》が出てきた。

「作者はどんな人なのかな。興味《きょうみ》ある。授賞式《じゅしょうしき》にも出てないし、インタビュー記事もないよね。」

「小説に出てくる人ってモデルがいるのかな。もしかして自分？」

オレはトランクに荷物を詰《つ》めこんだ。

すぐに逃《に》げよう。

その前に、編集者《へんしゅうしゃ》にメールを送っておこう。

「世間にさわがれるのがイヤになりました。今後いっさい小説は書かないし、取材も受けません。さようなら。」

オレはホテルを出た。

さあ、どこに行くかな。とりあえず、この本を一回読んで確《たし》かめておく必要はあるな。何をどこまで書いてあるのか。

主人公には何か後ろめたいことがあるようだ。
彼《かれ》はなぜ急に、身を隠《かく》すことにしたのだろうか。

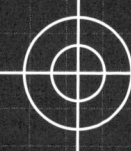

解《かい》説《せつ》

主人公の父が書き残したのは小説ではなく、事実の記録だった。父は長い間、息《むす》子《こ》に命をねらわれ、少量の毒《どく》を盛《も》られていることに気づいていた。実の父を殺害《さつがい》した犯人《はんにん》である主人公は、中身を読まなかったため、そうと知らずに「被害者《ひがいしゃ》の手記」を小説として公表してしまったのだ。さて、世の中の人たちはその真実に気づくだろうか⁉

16

ゲーム禁止令《きんしれい》

危機《きき》→逆転《ぎゃくてん》？

パパといっしょにゲームをやってたら、イライラしたママの声が背中《せなか》から聞こえてきた。

「ちょっと！　もう1時間以上たってるよ！　パパも少しは気をつけてよ。マドカの成績《せいせき》がこれ以上下がったらどうするの？　来年は中学生なのに。」

パパは適当《てきとう》に返事をして、あたしに目配せした。

「じゃ、きょうはこれでおしまい。な！」

パパはゲームとアニメが好き。最新のゲームが出たら自分のおこづかいで買ってくるし、うちにはアニメもいっぱいあるんだ。パパが子どものころに好きだったたっていうアニメ、たくさん見せてもらった。『フランダースの犬』、『あらいぐまラスカル』とか。特に気に入ったのは『アルプスの少女ハイジ』。

ところが、ママはゲームもアニメもいっさい興味《きょうみ》ナシ。マンガや小説も好きじゃなくて、「どうせ本を読むなら伝記とか図鑑《ずかん》とか、本当のことが書いてある役に立つ本を読みなさい」なんて言うんだ。

そんなママのおかげで、うちのルールはかなりきびしい。「ゲームは1日おきに1時間まで」ってことになってる。

こんなにおもしろいのに、たった1時間でやめるなんて無理でしょ⁉　いつも、ついつい時間オーバーしちゃう。

それがある日、塾《じゅく》の定期テストでひどい点をとっちゃって。

ついに、「次のテストまで1か月ゲーム禁止《きんし》」を言いわたされちゃったんだ。

まあ、あたしも悪かったけどさ……1か月は長いよ。

1週間はガマンしたけど、ゲームをやりたくてムズムズしてくる！

あたしはみんなが寝《ね》しずまった夜中に、こっそりリビングにやってきた。

なんで今までこれを思いつかなかったんだろう。

ヘッドホンすれば音は外に聞こえないし。

万が一ママがトイレに起きても、この部屋の前は通らないもんね。

あたしの部屋をのぞいたりすることもないし。

パパとママが寝《ね》ちゃったのを確認《かくにん》して、毎晩《まいばん》1時ごろからゲームを始めるのがあたしの日課になった。

ところが……。


「マドカ、こんな夜中にゲームなんかして！　おかしいと思ったのよ、最近、やけに眠《ねむ》そうだから！」

見つかっちゃった……！

ママは鬼《おに》のような顔で、あたしをにらみつけてる。

どなり声の大きさに、パパもやってきた。

「ママ、どうしたんだ?」

パパは、ひと目見て状況《じょうきょう》を察したみたい。

どうしよう。ゲーム禁止《きんし》を延長《えんちょう》するくらいじゃすまないかも。

ゲーム機ごと捨《す》てられちゃうかも。ママならそのくらいやりかねない。

暗がりに白くうき上がるママのパジャマをぼんやりながめているうちに……あたしは、この場を乗り切るすばらしい方法を思いついたんだ。


マドカはどうやってこのピンチを切りぬけたのか。

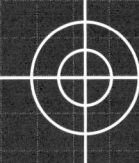

解説《かいせつ》

マドカはとっさに「あれ？　あたし、どうしてここにいるの？」と、夢遊病《むゆうびょう》のふりをした。夢遊病《むゆうびょう》とは、眠《ねむ》っている間に起き上がり、無意識《むいしき》のうちに歩き回ったり行動したりする病気である。マドカはアニメで見た『アルプスの少女ハイジ』のマネをしたのだ。主人公のハイジが自然豊かなアルプスから都会に連れてこられ、ストレスのために夢遊病《むゆうびょう》になったのは有名なエピソード。アニメをはじめ「物語」が好きではないママはこの話を知らなかったので、まんまとだまされた。パパはピンと来たものの、だまっていてくれたというわけ。

ママは自分のしめつけがきびしいことがストレスになったと反省し、このあとゲーム禁止《きんし》を解《と》いたそうだ。

ときには「作り話」で得《え》た知識《ちしき》が身を助けることもある。

17

粗《そ》大《だい》ゴミ

失敗↓なぜ？

オレはAI《エーアイ》に向かって、慎重《しんちょう》に言葉を選びながら質問《しつもん》をした。

「粗《そ》大《だい》ゴミを捨《す》てるのにちょうどいい場所を教えてくれ。条件《じょうけん》は、人目につかないこと。大きい地震《じしん》があっても地盤《じばん》がくずれたりしないこと。車で片道《かたみち》3時間以内であること。」

しばらくするとAI《エーアイ》は、胸部《きょうぶ》のモニターに地図を示《しめ》した。オレは地図帳で行き先とルートを確認《かくにん》すると、AI《エーアイ》の電源《でんげん》を切った。

お疲《つか》れさま。これでおまえもお役ごめんだ。

思った通り、このAI《エーアイ》はすぐに買い手がついた。ほかのガラクタもこんなふうにサクサク売れてくれたらいいんだが。

10年間リサイクルショップの店長をやってきたが、最近売れ行きがよろしくない。はっきり言えばかなり金に困《こま》っている。早急に店をたたもうと考えていた矢先に、タイで会社をやっている友人から「こっちでいっしょに働かないか」とさそわれた。条件《じょうけん》が魅力的《みりょくてき》だったので、店をたたんで移住する決意をしたのが1週間前。

急いで店の在庫《ざいこ》を安くたたき売りしているのだが、修理《しゅうり》してから売ろうと思っていた業務用《ぎょうむよう》の冷蔵庫《れいぞうこ》やら、タンスやら旧型《きゅうがた》のパソコンやらデカいものばかりがたっぷり売れ残っていて頭を抱《かか》えている。

こういう大型《おおがた》のガラクタは粗大《そだい》ゴミとして出すものだが、これだけ大量だとゴミに出すにはかなりお金がかかる。

だから、犯罪《はんざい》とはわかってはいるんだが……どこかに捨《す》ててしまおうと思ったわけなんだ。

この手の相談をするならＡＩ《エーアイ》に限《かぎ》る。人に話すと、うっかりだれかにしゃべるかもしれないし。何より優秀《ゆうしゅう》なＡＩ《エーアイ》なら、さまざまな条件《じょうけん》からまちがいのない答えを割《わ》り出してくれるからな。

オレは毎日、せっせと夜中に小型《こがた》トラックを走らせた。人に見られないよう、深夜1時ごろ出発して、ＡＩ《エーアイ》が指示《しじ》した場所に着くのは3時すぎ。近くには家も店もない山の中は、オレが不要品を運びこむ前からすでにゴミだらけ。うってつけの場所だった。1人で荷を降《お》ろし、台車に積んで山に捨《す》てるのは重労働で1時間くらいはかかってしまうが、人はもちろん車すらまったく通りかからないので安心だった。朝の光を浴びながらへとへとに疲《つか》れて帰り、ベッドに倒《たお》れこむように眠《ねむ》る。そんな日が何日か続いたが、いよいよ店は空っぽに近づいてきた。

きょうで最後か。

オレはすっかり慣《な》れた道を走り、いつもの場所にトラックを停《と》めた。

すると……。

トラックの窓《まど》をコツコツとたたく音がした。

「ちょっと、よろしいでしょうか?」

警察官《けいさつかん》だ!

無視《むし》してトラックを発進させようかと思ったが……いつのまにか前にも別の警察《けいさつ》官《かん》が立っている。3、4人はいる。

これは、ただのぐうぜんじゃなさそうだ……。

万事休す。


まったく人に見られていないはずなのに、粗大《そだい》ゴミを捨《す》てていることがなぜ警察官《けいさつかん》にバレたのだろうか。

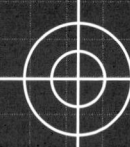

解説《かいせつ》

捨《す》てる場所を割《わ》り出させたＡＩ《エーアイ》は、主人公が使ったあとにすぐ買い手がついていた。これを買ったのは近所の刑事《けいじ》。「個人的《こじんてき》な買い物」だったので、主人公は刑事《けいじ》に売ったとはわからなかったのだ。殺人事件《さつじんじけん》を追っていた刑事《けいじ》は、犯人《はんにん》が死体を隠《かく》しそうな場所のあたりをつけようとしていた。それでたまたまＡＩ《エーアイ》に、主人公と同じ質問《しつもん》をしたところ、ＡＩ《エーアイ》は当然のように同じ答えをはじき出したのだ。

18

ヒット商品を開発せよ

失敗→なぜ？

「みなさん、いよいよあしたが発売日となりました。開発にかかわった諸君《しょくん》、お疲《つか》れさま。カンパイ！」

チームリーダーの音頭で、メンバーたちはグラスを持った手を高々《たかだか》と上げた。

A《エー》社の研究開発チームの面々《めんめん》は、長いこと「世の中の人たちに喜ばれる商品づくり」に取り組んできた。

A《エー》社の主力商品は、洗剤《せんざい》をはじめとするそうじ用品だ。

ところが4年前、ライバルのB《ビー》社の「キラピカ☆マジック」という洗剤《せんざい》が大ヒットしたせいでA《エー》社の売り上げは落ちこんでいた。

そこで、社長が優秀《ゆうしゅう》な人材を集めて研究開発チームを組織《そしき》したのは3年前のことだ。

「このままでは倒産《とうさん》の危機《きき》だ。3年以内に起死回生のヒット商品を開発してほしい。頼《たの》んだぞ!」

A《エー》社の新商品、「スーパースポンジ〜エターナル」は飛ぶように売れた。

台所はもちろん風呂場《ふろば》のそうじ、車にも使える。しかも、洗剤《せんざい》を使わずに水だけでよごれが落ちる。

1個《こ》1000円と値段《ねだん》は高いが、劣化《れっか》することもなく半永久的《はんえいきゅうてき》に使えるのだ。

「スーパースポンジ〜エターナル」はまたたく間に大ヒット商品となった。


そんなある日。

社長に緊急召集《きんきゅうしょうしゅう》をかけられた研究開発チームのメンバーたちは、ニコニコしながら会議室に集まった。

「メンバーには『特別ボーナスを出す』って言ってたからその話じゃないかな。」

ところが、会議室に入ってきた社長は苦虫をかみつぶしたような顔をしている。

そして……口を開くと、こうどなったのだ。

「おまえたちは、いったいなんてことをしてくれたんだ！」


研究開発チームのメンバーたちはなぜ怒《おこ》られたのだろうか。

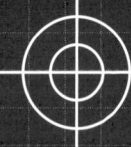

解説《かいせつ》

劣化《れっか》せず半永久的《はんえいきゅうてき》に使えるということは、一度買ったらもう買う必要はない。みんなが買えば、この先もう売れなくなるということだ。どんなよごれも洗剤《せんざい》を使わずに落とせるので、世の中の洗剤《せんざい》もいっさい不要に。夢《ゆめ》の新商品のおかげで、会社の未来は絶望的《ぜつぼうてき》になったのだ。

買い手からすると使っても減《へ》らない商品、絶対《ぜったい》こわれない商品があったらうれしい。でも、それでは会社やお店はやっていけなくなってしまうのだ。

19

前の席の女の子

失敗↓逆転《ぎゃくてん》？

「…でさあ、ヤマノってひどいんだよ。何かとあたしのことからかってきてさ。人がめっちゃ気にしてること言うんだから。こないだ配役を決めるときに、あたしが主役の妖精《ようせい》役に推薦《すいせん》されたらさ……。」

カナザワさんは休み時間になると、後ろの席のサワダくんのほうを向いておしゃべりを始める。きょうは、さっきからカナザワさんが所属《しょぞく》している演劇《えんげき》部の話題が続いている。ほぼ、カナザワさんが一方的にしゃべっているのだが。

正直なところ、サワダくんはカナザワさんの話にはそんなに興味《きょうみ》を持っていない。でも、サワダくんには彼女《かのじょ》に冷たくできない理由がある。

カナザワさんは、サワダくんが恋《こい》しているキミカさんの親友なのだ。キミカさんは目がぱっちりした美人だ。バレエをやっているせいかスラッとしている上にオーラがあって、憧《あこが》れている男子は多い。

この間は、カナザワさんが「いっしょに行かない？」とさそってくれたので、サワダくんはキミカさんのバレエの発表会を見に行くことができた。「え〜、バレエ？」「近いから行ってもいいけど。ヒマだし」なんてダルそうなふうを装《よそお》いながら、心の中はうれしくてたまらなかった。カナザワさんと友好関係を築《きず》くことはサワダくんにとって大きなメリットがあるのだ。

今まさに、キミカさんが笑顔で近づいてくるのを、サワダくんがぼんやりながめていると。

「ちょっとー、聞いてんの⁉」

カナザワさんのムッとしたような声で、サワダくんはあわてて愛想笑いをうかべる。

（やべ〜、聞いてなかった。えーと、今確《たし》か、ヤマノになんか気にしてること言われたって言ってたな。）

「聞いてるって。目が細いくらい気にすんなよ。」

「は!?」

カナザワさんは、目をつり上げてサワダくんをにらんでいる。

「そんなこと言ってない！　今、ヤマノに『足が太いって言われた』って言ったんだよ。目が細いなんて……ひどくない？　キミカ～！」

カナザワさんは、キミカさんに泣きついた。

（しまった。カナザワさん、しょっちゅう自分で「あたし、目が細いから～」って言ってるから……。）

キミカさんはカナザワさんをギュッと抱《だ》き寄《よ》せ、非難《ひなん》するような目つきでサワダくんを見ている。

（えーと、何か言いわけしなくちゃ。キミカさんに軽蔑《けいべつ》されたくない！「女の子にひどいことを言う男」っていう印象を持たれちゃう……。）

サワダくんはひきつった笑顔をうかべて口を開いた。

1年後。

カナザワさんとサワダくんはラブラブの恋人《こいびと》同士になっていた。

サワダくんはなんと言って、その場をおさめたのだろう。そして、なぜサワダくんとカナザワさんは恋人《こいびと》同士になったのか。

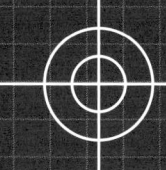

解《かい》説《せつ》

サワダくんは「目が細いのはカナザワさんのチャームポイントだと思ってたからさ」と言ったのだ。もともとサワダくんのことを好きだったカナザワさんは、「サワダくんは目が細いところをかわいいと思ってくれている」と受け取った。

そして、苦しまぎれにサワダくんもこう口にしたことで、だんだんカナザワさんのことが好きになっていき……。「ウソから出たまこと」とはこういうことだ。

言葉には何かを引き寄《よ》せる力があるといわれる。ふと口にした言葉が、きみの人生に大きな影響《えいきょう》をおよぼすかもしれない。

20

クロスワードパズル

失敗→逆転《ぎゃくてん》？

「ツチヤさん、大変です！」

あと数歩で会社に着くというところで、同僚《どうりょう》のウエノさんからスマホに電話がかかってきた。

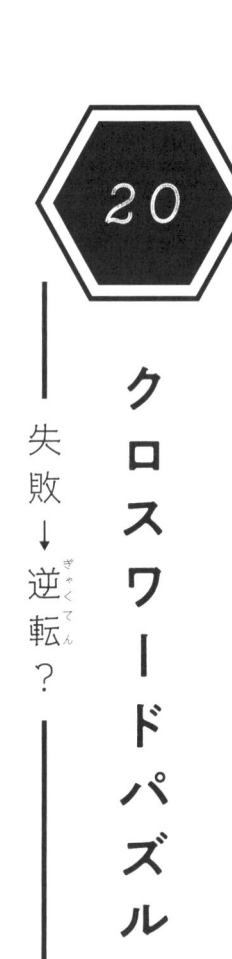

「さっき印刷所から届《とど》いた最新号を見たら……ツチヤさんの担当《たんとう》ページのクロスワードパズルの答えがまちがってたんです！」

オレは子ども向けの月刊《げっかん》マンガ雑誌《ざっし》の編集者《へんしゅうしゃ》だ。マンガがメインの雑誌《ざっし》だけど、読み物記事やかんたんなパズルなんかも載《の》っている。以前はパズル専門《せんもん》の作家さんに頼《たの》んでいたのだが、長年やっているうちにコツがわかり、最近は自分で作るようになっていたんだが……。

まちがっていたのは「ヨコのカギ」の12問目。「人気アイドルグループ『バレンタインBOYS《ボーイズ》』のメンバーは何人？」の答えだ。

正解《せいかい》は「ゴニン」なのに、解答《かいとう》ページに「ヨニン」と印刷されてるのをウエノさんが発見したという。ほかのキーワードと関係がないのは不幸中の幸いだったが……。

いや、そんなの幸いでもなんでもない！

クロスワードの解答《かいとう》がまちがっているっていうのは大事故《だいじこ》だ。そして、芸能界《げいのうかい》に大きな影響力《えいきょうりょく》を持つ「ファースト・ソング☆プロダクション」所属《しょぞく》のグループの情報《じょうほう》についてミスをやらかしたことが大問題だ。

雑誌《ざっし》の発売日は5日後。

今ごろトラックに積まれ、全国の書店に配送されているところか。

回収《かいしゅう》して、印刷をやり直すことになったらどれだけのお金と時間がかかるだろう。

そんなことを考えながら……あえてエレベーターは使わず、編集部《へんしゅうぶ》のある4階までノロノロと階段《かいだん》をのぼった。

編集部《へんしゅうぶ》の入り口に立つと、いつもかけっぱなしのラジオ番組の音と、ざわめきが聞こえてくる。みんな、オレの失敗のことで大騒《おおさわ》ぎしているんだろう。

オレが編集部《へんしゅうぶ》に姿《すがた》を現《あらわ》すと、みんなの注目が集まった。

編集長《へんしゅうちょう》が眉《まゆ》をひそめて近づいてくる。

「ツチヤくん、ちょっと2人で話したいから会議室に行こうか。」

「は、はい……。」

編集長《へんしゅうちょう》と並《なら》んで会議室に向かう背中《せなか》から、拍手《はくしゅ》が聞こえてきた。

は⁉

後ろをふり向くと、ウエノさんが笑顔をうかべて小さくガッツポーズをしている。

どういうことなんだ⁉

編集長《へんしゅうちょう》は怒《おこ》っていないようだ。重大なミスを犯《おか》したはずだが、
いったい何が起きたのだろうか。

解説《かいせつ》

ツチヤがウエノさんの電話を受けてから4階に上がってくるまでの間に、事態《じたい》は一変した。アイドルグループ「バレンタインBOYS《ボーイズ》」から1人メンバーが脱退《だったい》し、これからは4人で活動することになったというニュースがラジオから流れてきたのだ。

つまり、ツチヤのまちがいは「正解《せいかい》」になったのだ。

編集長《へんしゅうちょう》は、ツチヤはあらかじめこの極秘情報《ごくひじょうほう》をつかんでいたのではないかと考えた。「ファースト・ソング☆プロダクションの社員、あるいは業界の情報通《じょうほうつう》に知り合いがいるのか？」と編集長《へんしゅうちょう》に聞かれると、調子のいいツチヤはしゃあしゃあと「ある人がこっそり教えてくれていたんです。もちろん名前は言えませんが」と答えたのである。

こんな奇跡《きせき》が起こることもある。ミスが発覚したときはあわてずさわがず落ち着いた態度《たいど》でいることが大切だ。

21

夏休みの宿題

危機《きき》→逆転《ぎゃくてん》？

夏休み最後の日。

そろそろ休みにもあきたし、学校に行くのも悪くないな。

なんて思いながらあした提出するドリルや読書感想文をランドセルに入れていたぼくは、このときになって絵の宿題があったのを思い出したんだ。

午後九時十分。

もうあとはお風呂《ふろ》に入って寝《ね》るだけなのに、これから絵をかくなんてめんどくさいなあ……。

あ、待てよ。

絵ならあるじゃん。

ぼくは引き出しを開けて、画用紙を取り出した。

大好きなアニメ『超《ちょう》☆小学生バトル太郎』のキャラクター似顔絵《にがおえ》コンテストに応《おう》募《ぼ》しようと思ってかいたやつ。うっかりしめきりをすぎちゃって応募《おうぼ》できなかったんだけど、優勝《ゆうしょう》をねらえる自信はあったんだ。

うん、ちょうどよかった。これで間に合わすことにしよう。


ところが、学校に行ってみると。

「おまえ、なんでアニメの絵なんか持ってきてんだよ。」

バッグから絵を出すと、後ろからハシモトがのぞきこんで言ったんだ。

「テーマは『夏休みにあったこと』だろ。話聞いてなかったのかよ。」

「え、マジ？　先生、そんなこと言ってたっけ。」

って言ってるうちに先生が来ちゃって。

「じゃあ、きょうは宿題の絵を見せながら、『夏休みにあったこと』を話してもらうことにしましょう」だって。

プールで泳ぐ人たち、夏祭りの盆《ぼん》おどり、花火大会、旅行先の風景、家で育てたヒマワリ……みんなの作品を見ているうちに、自分の絵がはずかしくなってきた。

やばいなぁ。

もうすぐぼくの番が回ってくる。

「忘《わす》れました」って言おうかな。

と思ってたのに、ぼくの名前が呼《よ》ばれた瞬間《しゅんかん》、ハシモトが「こいつアニメの絵なんだぜー。アニメオタクすぎ!」と、大きい声で言ったんだ。

くそー、よけいなこと言いやがって!

仕方なく絵を持って立ち上がった、そのとき。

うまいこと言い逃《のが》れするアイディアが、ピカッとひらめいたんだ。

主人公はどんな説明をしてこの場を切りぬけたのだろうか。

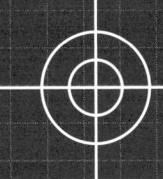

解説《かいせつ》

主人公は「夏休み中もずっと熱中して見ていたテレビの画面の絵をかきました」と言ったのだ。これなら、「夏休みにあったこと」というテーマには合っている。先生も文句《もんく》はつけられなかったようだ。

へりくつではあるが、ものは言いよう。ものごとをいろんな角度から見ることはピンチを打開する力になり得《え》る。

22

悪《あ》魔《く》を呼《よ》び出す方法

失敗→なぜ？

ぼくは最近「悪魔学《あくま》」にハマっている。ネットでたまたま悪魔《あくま》について書いてあるサイトを見つけて、読み始めたらものすごくおもしろくて。魔術《まじゅつ》の使い方とか、人を呪《のろ》う方法とか、もしこれがホントだったらと思うとドキドキしてくる。

でも、試《ため》してみようにも無理なやつが多い。魔術《まじゅつ》を使うには乾燥《かんそう》させて粉末《ふんまつ》にしたコウモリの羽とか、聞いたこともないような植物やら薬品なんかが必要だから。

そんな中で、ある日目をとめたのが「悪魔《あくま》の呼《よ》び出し方」だ。

これならできそうだ。やってみるか！

ぼくはママの部屋とお姉ちゃんの部屋からひとつずつ、大きな姿見《すがたみ》の鏡を運んできた。床《ゆか》に大きな紙をしいて、油性《ゆせい》ペンで本にのってる「魔法陣《まほうじん》」を正確《せいかく》にかきうつす。この魔法陣《まほうじん》を中心に鏡を向かい合わせて置くと、やがて魔法陣《まほうじん》の上に悪魔《あくま》が出現するらしい！

しばらくたったが……何も出てこない。

なんだ。やっぱりデタラメか。

残念なような、ちょっとホッとしたような。

だってホントに悪魔《あくま》が現《あらわ》れちゃったら、どうしていいか困《こま》るもんなぁ。

そのとき。ぼくは目をみはった。

そして……悪魔《あくま》を呼《よ》び出そうなんて考えたことを心の底からくやんだ。

主人公はなぜ、後悔《こうかい》したのだろうか。

解説《かいせつ》

合わせ鏡を設置《せっち》するには、自分が鏡の間（魔法陣《まほうじん》の上）に立つことになる。主人公は鏡に映《うつ》った悪魔《あくま》の姿《すがた》を見たが、それは悪魔《あくま》になった自分自身だったのだ。これは悪魔《あくま》を呼《よ》び出す術《じゅつ》ではなく、正しくは「人間を悪魔《あくま》にする」ワナだったというわけ。危険《きけん》な術《じゅつ》をふざけ半分で試《ため》すとひどい目にあってしまうかも……!?

23

最高のごちそう

失敗→逆転《ぎゃくてん》？

（ふふふ……これだけあればバッチリだな。）

エンドウ氏は、マツタケがたっぷり入ったかごを運びながらにんまりした。

彼《かれ》は、温泉地《おんせんち》にある高級料亭《りょうてい》「もみじ亭《てい》」の支配人だ。ほとんど山の中だが、隠《かく》れ家《が》のような雰囲気《ふんいき》がある。一流の料理人をやとっているのでグルメの人たちの間では知られており、少々《しょうしょう》高くても特別な料理を楽しみたいというお金持ちの連中にうけている。

エンドウ氏は、ときどきみずから食材の調達もしている。実り豊かな土地にある料亭《りょうてい》なのだから、とれたての新鮮《しんせん》な食材も売りのひとつなのだ。

今夜は、常連客のミズタニさんがグルメ仲間を10人連れてくる。「国産と外国産のウナギはにおいをかいだだけでわかる」とか「世界中の珍味《ちんみ》を食べてきた中でも蚊《か》の目玉のスープは最高だ」などと知ったかぶりのうんちくを語りたがるのがややめんどうくさいが、彼《かれ》は10数年来のお得意様《とくいさま》だ。毎年マツタケのシーズンに予約を入れてくるから、きょうもマツタケ料理を期待しているだろう。

（しかし、この秘密《ひみつ》の場所がだれにも知られてないのは奇跡的《きせきてき》だな。これだけのマツタケ、市場で買ったらいくらするだろう？）

エンドウ氏は軽い足どりで車に向かっていたが、木の根元に足を引っかけて転んでしまった。

（いてて……。）

倒《たお》れたときに足をひねったのか、なかなか立ち上がれない。

足首をさすりながら身を起こしたエンドウ氏は、信じられない光景をまのあたりにした。

どこからか集まってきたシカたちが、かごからこぼれたマツタケに集まってきたのだ。

「やめろ!」……と、どなろうとしてエンドウ氏は口をおおった。シカはかわいらしく見えるが、相手は野生の動物だ。刺激《しげき》したら、襲《おそ》ってこないとも限《かぎ》らない。エンドウ氏は後ずさりした。シカたちはのんびりとマツタケをむさぼっている。

エンドウ氏は遠まきにシカをながめながら絶望的《ぜつぼうてき》な気持ちになった。

(どうしよう……。これからどこかでマツタケを調達できるところがあるか?)

数時間後。

エンドウ氏が「もみじ亭《てい》」に集まったミズタニさんたちに本日の料理の説明を行って、宴会《えんかい》はスタートした。

ミズタニさんは笑顔を向けて言った。

「さすがはもみじ亭《てい》だな。来年も必ずマツタケのシーズンに来るよ。今度はもっと大勢《おおぜい》になるかもしれん。」

期待されているマツタケがひとつもない状況《じょうきょう》で、エンドウ氏は
どのようにピンチを切りぬけたのだろうか。

解説《かいせつ》

宴会《えんかい》料理のメインのはずだったマツタケを失ったエンドウ氏は車にもどり、トランクに入れてあった猟銃《りょうじゅう》を取ってくるとシカを撃《う》って持ち帰った。

そして、お客様に「最高級のマツタケを食べさせて育てたシカ肉です」と紹介《しょうかい》したのである。知ったかぶりの傾向《けいこう》があるミズタニさんが「なるほど。肉からわずかにマツタケの風味がすると思った」と言い出し、ほかのお客たちもまんまと暗示《あんじ》にかかってくれた。

ちなみにこれはぐうぜんだが、シカ肉のことを「もみじ」という。これにはいくつかの説があるが、花札で「シカともみじ」がいっしょにかかれているためと言われている。

24

一流のホテルマン

失敗→なぜ？

（ふう……、慣《な》れない現場《げんば》だったがなんとか無事に終えることができた。さすがはオレだな！）

マツイはホッと胸《むね》をなでおろしていた。

今朝、結婚式《けっこんしき》の現場《げんば》をしきるウエディングプランナーが急病になってしまった。結婚《けっこん》式場では代わりの人を手配できず、式場のあるホテルのエリート、マツイが指名されたのである。

新郎新婦《しんろうしんぷ》はどちらも再婚《さいこん》同士。しかも、新婦《しんぷ》の年老いた父親はこの結婚《けっこん》をしぶしぶ認《みと》めたという事情《じじょう》があった。

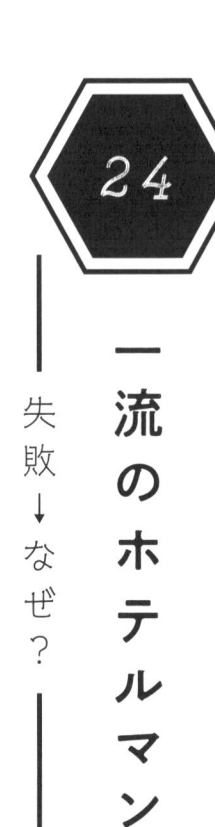

新婦《しんぷ》の父は披露宴《ひろうえん》が進むうちにビールを飲みすぎてよっぱらってしまい、不穏《ふおん》な空気がただよい始めた。

（あのときに目立たないように外に連れ出したのは我《われ》ながらファインプレーだった。）

まさに間一髪《かんいっぱつ》。外に連れ出すと「オレは娘《むすめ》があんな男と結婚《けっこん》するなんて認《みと》めてねぇからな」と、わめき出したのだ。マツイは彼《かれ》の話にあいづちを打ち、聞き役に回って上手になだめた。そして、彼《かれ》が眠《ねむ》りこんでしまうと控《ひか》え室から出さないようにスタッフに命じ、司会者にこう伝えたのだ。

「最後の花束贈呈《ぞうてい》の前に、『新婦《しんぷ》のお父様は少々《しょうしょう》体調をくずしていらっしゃるため、大事をとって退席《たいせき》させていただきました』って言っといてくれ。」

「さすが一流ホテルマンのマツイさん、なんでもうまくこなしますね。」

スタッフたちにほめられ、マツイはいい気分だ。

「おっと、最後のあいさつがすんでない。全員でお見送りだ。出口に急ごう。」

マツイを先頭に、スタッフたちは式場の出口に向かう。

帰りじたくをしている新郎新婦《しんろうしんぷ》、親族たちの前にマツイは歩み出た。

ホテルマンとして長年キャリアを築《きず》くなかで磨《みが》いてきた最高の笑顔をうかべ、口を開く。

「本日は誠《まこと》におめでとうございました。スタッフ一同、またのご利用を心よりお待ちしております。」

その場はひんやりとしたムードに包まれた。


マツイのあいさつのあと、微妙《びみょう》な空気になったのはなぜだろうか。

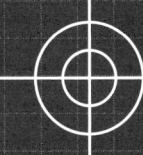

解説《かいせつ》

マツイはふだんはホテルのフロントで働いている。ついいつも口にしているフレーズを言ってしまったが、今結婚式《けっこんしき》をあげた新郎新婦《しんろうしんぷ》に向かって「またのご利用」は最大の禁句《きんく》。ふつうならそこまで気にすることもないが、この2人は再婚《さいこん》同士だっただけに、気まずいムードになってしまったのだった。結婚式《けっこんしき》では「はなれる」「切る」など別れを連想させる言葉も使わないほうがよいとされている。

25

だれも笑ってはいけない

危機《きき》→逆転《ぎゃくてん》？

大好きだったおじいちゃんが亡《な》くなった。

一年前くらいから病気で、パパやママからも「もう長くない」って聞いていたから心の準備《じゅんび》はしていたけど。

やっぱりおじいちゃんともうしゃべったりできないんだと思うと、悲しくてたまらない。おばあちゃんが死んだときはまだ幼稚園生《ようちえんせい》だったから、そのときのことは覚えてない。そもそもまだ「死ぬ」ってことがよくわかってなかったと思う。今は小学5年だし……ぼくなりに「死ぬってこういうことなんだ」とちょっと思うところがあったり。

きょうはお葬式《そうしき》。最期《さいご》のお別れだ。

パパやママ、それから親せきの人たちといっしょに席に着いてしばらくすると、お坊《ぼう》さんが部屋に入ってきた。

お坊《ぼう》さんはあいさつをすると、お経《きょう》を読み始める。

お経《きょう》、長いんだよなぁ……。

きのうのお通夜《つや》のときは途中《とちゅう》で大あくびをして、横からママにつつかれちゃったから気をつけないとな。ママはおじいちゃんの長女で、きょうだいの中でも一番おじいちゃんと仲がよかったんだって。

下を向いてると眠《ねむ》くなっちゃうと思って、背《せ》すじをのばしたとき、ぼくは目を疑《うたが》った。

どこからそんなものが舞《ま》いこんできたのか……天井《てんじょう》のほうからフワ、フワと真っ白な鳥の羽根が落ちてきて。

お坊《ぼう》さんの頭の上に乗っかったのだ。

ツルツルにそってある頭の上で、羽根は左右にゆっくりゆれている。

落ちそうで落ちない。

やばい。

おかしくてたまらなくなってきた。

笑いをこらえようとしたが、さらに激《はげ》しくおかしさがこみ上げてくる。

何かまじめなことを考えようとしてもダメ。

お棺《かん》の中のおじいちゃんをのぞきこんで、涙《なみだ》がこぼれてきたときの悲しい気持ちを思い出そうとしたけどダメだ。

苦しくなってきた。

目をふせたけど、ツルツルの頭の上でフワフワしてる羽根の映像《えいぞう》が目の奥《おく》からははなれない。

悪いことに、同級生でみごとな坊主頭《ぼうずあたま》のカヤシマがときどき披露《ひろう》する一発芸を思い出してしまった。頭をなでながら寄《よ》り目で「奥《おく》さまぁ〜♪　この洗剤《せんざい》を使えばしつこいよごれもツルッツルのピカッピカでございまぁ〜す」って言う……ああ、もうダメだ。横ではママがハンカチを目元に当てて「うう…」と声をもらし、肩《かた》をふるわせている。こんなときに笑っちゃったら大変だ。

おなかの底からわき上がる笑いをかみ殺《ころ》しながら、ぼくは……どうにかこの場を乗り切る名案を考えついた！

主人公の少年はどうやってこの場を乗り切ったのだろうか。

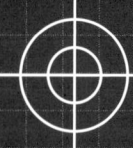

解《かい》説《せつ》

少年は「プッ」と笑いがもれかけた瞬間《しゅんかん》、両手で顔をおおって「うっっううううう……」と泣くのをこらえているような声を出してごまかした。「泣いているふり」をしているうちに少年は本当に悲しくなり、涙《なみだ》が出てきた。こんなふうに、本気で「悲しい顔」や「うれしい顔」の演技《えんぎ》をすると、そんな気持ちになってくることがある。

ちなみに少年が大きな嗚咽《おえつ》をもらすと、となりの席のお母さんも、ほかの参列者たちもつられたように泣き出した。もしかしたら、多くの人が少年と同じく笑いをこらえていたのかもしれないが……。

26

にせ札

失敗→なぜ？

「おまえ、にせ札作りをやってみないか。」

ボスに呼《よ》び出されて隠《かく》れ家《が》に行ってみると、開口一番こう言われた。

オレはある犯罪者《はんざいしゃ》グループに属《ぞく》しているが、仲間うちで「アーティスト」と呼《よ》ばれている。手先が器用で、本物そっくりの「にせもの」を作り出すのが飛びぬけてうまいためだ。今まで名画や彫刻《ちょうこく》、陶器《とうき》などの美術品《びじゅつひん》のにせもの作りを専門《せんもん》にやってきたが、一度もバレたことはない。

「必要な機材は集めてある。どうだ？」

どうだも何も、ボスに言われたら断《ことわ》りようもない。

「わかりました。やってみます。」

「頼《たの》むぞ。ほかのヤツにもやらせてみたんだがな。まあまあよくできてるが、もっと精巧《せいこう》なものを仕上げてほしい。おまえの腕《うで》ならまちがいないだろう。」

ボスはニヤリと笑ってふところから新札の札束をいくつか出すと、投げてよこした。


それから半年ほど、オレはにせ札作りに取り組んだ。最近のお札はすかし模様《もよう》や特殊《とくしゅ》インク、ホログラムなどがほどこされているのでかなり苦労したが、オレの能力《のうりょく》をもってできないことはない。ついに本物の札と見くらべてもまったく見分けのつかないにせ札ができあがった。もちろん札に印刷されているナンバーも全部同じではない。

「よくやってくれたな。おまえには特別ボーナスをやろう。といっても、ここで印刷し放題なわけだが……何億円でも使い放題だ。ははは！」

ボスは大喜びだ。グループの幹部《かんぶ》たちとオレは、刷りたてのにせ札をひとまず一千万円ほど支給され、街《まち》に出た。
ところが……なんということか。
にせ札完成からわずか数日後、グループの隠《かく》れ家《が》は警察《けいさつ》に踏《ふ》みこまれてしまったんだ。
隠《かく》れ家《が》にいた連中は全員逮捕《たいほ》されたらしい。
オレは現在逃走中《とうそうちゅう》というわけだが……それにしても、納得《なっとく》がいかない。
オレの作ったにせ札は見た目はもちろん、さわった感触《かんしょく》も完璧《かんぺき》な出来だったのに……。

なぜ、にせ札だとバレたのだろうか。

解説《かいせつ》

「アーティスト」がにせ札作りの見本にした札が、そもそもにせ札だったのだ。ボスはほかのメンバーが作った「まあまあ」のにせ札を処分《しょぶん》したつもりだったが、いくらか残っていたのが運のツキ。主人公にわたした札束が、まさにそれだったというわけ。

にせ札の製造《せいぞう》、使用は、国の信用問題にもふれるため、とても重い罪《つみ》である。もし疑《うたが》わしい札を見つけたら、警察《けいさつ》に届《とど》け出よう。

27

男の戦い

危機《きき》→逆転《ぎゃくてん》？

「クボじゃないか。ひさしぶり。」

オレは、雪がふきこむ電車のホームで、なつかしい顔を見つけて声をかけた。

クボとは中3のとき、席が近かったんだ。中学卒業以来会ってなかったから、ひとまず近況報告《きんきょうほうこく》をしあった。といってもこの春から通う大学の話くらいで、すぐに話題がなくなったけど。しかしこいつ、相変わらず無口だな。

雪のせいで電車の到着《とうちゃく》が遅《おく》れている、というアナウンスが流れた。

えーと、何か話すことないかな……。

後ろにかたまってる女の子たちの集団《しゅうだん》が、きのうのバレンタイン・デーの話で盛《も》り上がっているのが耳に飛びこんできた。

「そういえば中3のときのバレンタイン・デーって、まさにこんな大雪だったよな。次の日にさ、オレらモテない同士、デカい雪だるま作りながらしゃべったじゃん。『おまえチョコもらった？』って。オレもクボも1個《こ》ずつでさ。しかもその1個《こ》は母ちゃんからっていう『モテない男』あるあるで。」

オレがおどけて言うと、クボもニヤッとした。

でも、自分からは話を広げてこないんで、一応聞いてみる。

「で、今年はどうだった？　オレはやっぱり1個《こ》だったけど。」

「……2個《こ》もらったよ。」

は？　クボのくせに？　空気読めないヤツだな。

ここは「オレも1個《こ》」って言うとこだろうが！

「1個《こ》は母ちゃんだろ？」

「うん。」

「もう1個《こ》は？　まさかカノジョいるのか？」

「いや。」

「あ、義理《ぎり》チョコか。部活の後輩《こうはい》かなんか？」

するとクボはまじめな顔で言った。

「彼女《かのじょ》は……長いことオレのことを心から思ってくれてるんだ。」

オレは、クボの顔をじろじろながめた。こいつは、見栄でウソをつくタイプの人間じゃない。だけど、何か不自然な気がする。

「コクられたのか？　相手はどんな子だよ？　今どうなってんだ？」

「……近々《ちかぢか》、彼女《かのじょ》の17回目の誕生日《たんじょうび》をいっしょにお祝いする約束はしてる。」

「17歳《さい》なのか？　わかった。妹ってオチだろ？　いとこ？」

「ハズレ。」

「ふーん。」

もうこの話はいいか。おもしろくないから話題を変えよう。なんかパッとした話題があればいいんだが……。あ、あれにするか。

「そういえば、最近知ったんだけどさ。オレがすげー仲いい近所の友だちの母さんって、オリンピックで銅《どう》メダルとったんだって。スキーでさ。これ、出場できたのもすごいラッキーでさ。」

「へえ、いつのオリンピック？」

「オリンピックってふつうは4年に1回やるじゃん。だけど、一度だけ冬季オリンピックが2年に1回開催《かいさい》されたときがあって……。」

そのとき、オレはクボが目をパチパチしたのを見逃《みのが》さなかった。

思い出した。クボは昔から動揺《どうよう》すると、こんなふうにするクセがあった。

そして、オレはわかってしまったんだ。

クボのことを心から思っている女性《じょせい》の正体が。

主人公が気づいた女性《じょせい》の正体は何者だろうか。

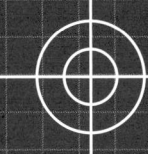

解《かい》説《せつ》

クボがもらった「2個《こ》目」のチョコの贈《おく》り主は、今年68歳《さい》になるクボのおばあさんだ。おばあさんは、うるう年の2月29日生まれ。クボは「17回目の誕生日《たんじょうび》」とは言ったが、「17歳《さい》の誕生日《たんじょうび》」とは言っていない。ひとつもウソはついていないのだ。

さて、主人公はなぜこのからくりに気づいたのだろうか。「4年に1回」という言葉を出したときにクボが動揺《どうよう》したので、ここにヒントがあると考えたのだ。

28

親友はライバル

失敗→なぜ？

「サキ、どうだった？」

塾《じゅく》のろうかで、ミオが成績表《せいせきひょう》をヒラヒラさせてる。

あたしが返ってきたばかりの塾《じゅく》の定期テストの成績表《せいせきひょう》を取り出すと、ミオは自分の成績表《せいせきひょう》と突《つ》き合わせ始めた。

あたしとミオは親友。塾《じゅく》で知り合って、話してみたら共通点がいっぱいあって仲よくなったんだ。なんと誕生日《たんじょうび》が同じ日！　それからひとりっ子で、国語が一番得意《とくい》っていう。

「国語はサキが4点勝ち、英語はあたしが8点勝ち。数学はあたしが2点勝ち。」

ミオはうれしそうに言った。ミオはちょっとライバル心が強いけど、こういうとこ、刺激《しげき》になるし、悪くない。

「……って言っても数学、2人ともやばいよね。次の実力判定《はんてい》テストまでに特訓しないと。」

「やろう！　目指すは数学80点台！」

そこに、塾《じゅく》のクラス担任《たんにん》のカタノ先生が通りかかった。

「お、2人ともやる気あるねぇ。」

あたしはビックリして急に背《せ》すじをピンとのばした。ミオが一歩前に出る。

「はい、数学をもっとがんばりたいんです！　カタノ先生！　時間があるとき、勉強見てくれませんか？」

カタノ先生は白い歯を見せてさわやかに言った。

「いいよ。時間があるときなら喜んで。」

あたしたちの共通点はもうひとつある。2人ともバイトで塾講師《じゅくこうし》をしているカタノ先生の大ファンなの！

「ミオ、さっき、よく言ったよね～！　カタノ先生に授業《じゅぎょう》以外で教えてもらえるなんて！」

あたしが言うと、ミオはちょっととぼけたような顔をした。

「ん？　教わるのはあたしだけだよ。あたしが言ったんだもん。」

え？　あたしの表情《ひょうじょう》がこわばったのを見ると、ミオはすぐにニヤッと笑う。

「なんちゃって、ウソだよ！　もちろん2人で教わるつもりだったし。」

はぁ、あせった。

ときどき、ミオの冗談《じょうだん》はわかりにくいことがあるんだよね。

「2人いっしょにがんばろうね。約束だよ。指切りしよ！」

ミオは笑顔で指をからませてきた。


それからあたしたちは塾《じゅく》の自習室やファストフードとかでカタノ先生に数学を見てもらうようになったんだ。競って勉強したせいで、あたしたちの数学の成績《せいせき》はグングン上がった。勉強の合間におしゃべりするうちに、先生との距離《きょり》も近くなって……。

「はい、2人にプレゼント。成績《せいせき》上がったごほうびと……ちょっと早いけど、誕生《たんじょう》日《び》のプレゼントってことで。」

「わ、おそろい？　ありがとうございます！」

先生がくれたのは獅子《しし》座《ざ》のモチーフが入ったネックレス。横を見ると……あれ、ミオったらあんまり喜んでなくない？

そういえば先生、あたしたちの誕生《たんじょう》日《び》よく知ってたよね？　……って言おうとしたとき、カタノ先生が先に口を開いた。

「次の定期テストの成績《せいせき》で2学期からのクラス分けが決まるんだけど。2人ともこのままなら確実《かくじつ》に『東高コース』に入れると思うよ。」

「東高コース」は、難関《なんかん》の東高大学を目指す生徒を集めた特別クラスだ。

「そしたら、来年の春には東高大学でカタノ先生の後輩《こうはい》になれたりして？」

あたしが言うと、カタノ先生は笑ってうなずく。

「東高大においでよ！　すごく環境《かんきょう》もいいしさ。」


この日の帰り道、あたしたちはいろんなことをしゃべった。

カタノ先生はまだ大学1年。つまり、あたしたちが同じ大学に入れば3年間もいっしょにいられる。学科はちがっても同じサークルに入ってもっと親しくなれるかも。カタノ先生に現在カノジョがいないのは確認《かくにん》ずみだ。

「もし、どっちかがカノジョになれたとしても、うらみっこなしね！」

ミオの目がキラッと光った。あたしもうなずく。

「うん、約束しよう。で、まずは『東高コース』に入らないとね！」


次の定期テストが終わって、新しいクラス分けが発表になったとき、あたしは目を疑《うたが》った。

（ウソ……あたしだけ『東高コース』に昇格《しょうかく》!?　ミオはもとのA《エー》クラスのまま？）

あたしはミオの姿《すがた》を見つけてかけ寄《よ》った。

「あたしだけ『東高コース』なんて……。」

ミオはペロッと舌《した》を出した。

「テストのとき、数学でドジっちゃったんだ。しょうがないよね……。」

意外なことに、ミオはあんまり落ちこんでないように見えた。

クラスが分かれちゃうと、ミオとは塾《じゅく》で会わなくなった。スマホで連絡《れんらく》しても返事が返ってこない。勉強に行き詰《づ》まってるのかな。心配だけど、じゃましないほうがいいのかも。


翌春《よくしゅん》、あたしとミオは東高大学に合格《ごうかく》した。

ひさしぶりにミオから来たメールは合格《ごうかく》を知らせるものだった。写真が添付《てんぷ》されたメールを見て、あたしは怒《いか》りにふるえていた。

(ずるい！　裏切《うらぎ》られた。あたしはミオのこと、親友だと思ってたのに。もともと全部計画の上だったのかな。)

サキは、何に対して怒《おこ》っているのだろうか。

解説《かいせつ》

ミオが合格《ごうかく》を知らせるメールには、ミオとカタノ先生のツーショット写真がそえられていた。2人はすでにつき合っていたのだ。

ミオはもともと、カタノ先生を独《ひと》り占《じ》めしたくてたまらなかった。2人の誕生日《たんじょうび》を先生が知っていたのも、ミオがときどき1人だけでカタノ先生と会っていたためだ。

ミオはテストの日、わざとミスをしてA《エー》クラスに残ることを選んだ。そうすれば自分だけは塾《じゅく》でもA《エー》クラスの担任《たんにん》のカタノ先生の生徒でいられる。さらに、サキにないしょでカタノ先生に引き続き勉強を見てもらい、ますます親しくなった……というわけなのだ。

ほしいものを手に入れるには、このくらいの作戦力が必要だろう。ミオは悪いことをしたわけではない。ただ、友だちとしては、不誠実《ふせいじつ》なやり方だったかもしれない。

29

事故《じこ》の恩返《おんがえ》し

失敗→逆転《ぎゃくてん》？

電車やカフェに荷物を置き忘《わす》れたり、お茶をひっくり返したり、お皿を割《わ》ったりは日常茶飯事《にちじょうさはんじ》。

「あんたってドジすぎ！」と、周囲の人たちから怒《おこ》られあきれられてきたけど……ホントにあたしってどうしてこうなんだろう。

あたしは思いっきり声をはり上げた。

「あぶない！　よけて！」

ハンドルを握《にぎ》っていた手がすべり、荷物がぎっしり入ったあたしのスーツケースが駅の階段《かいだん》を転がり落ちていく。

その先には小学生くらいの男の子がいたのだ……。

あれから数日後。あたしはパフェを食べながら事件《じけん》のてんまつを友人のサトミに話していた。

「でも、結局その子、ケガはなかったんでしょ？　よかったね。」

「うん。スーツケースをよけたはずみで転んだときに頭をぶつけたから、病院で検査《けんさ》することになったけど。なんともなくてよかった〜。『検査費用《けんさひよう》は全額《ぜんがく》出します』って言ったんだけど、半分でいいって。」

「その子の親、たまたまいい人でラッキーだったね。」

「そう！　その子、小学6年でね。これから塾《じゅく》の夏合宿に行くはずが、行けなくなっちゃったんだよ。それ聞いたときに、合宿のキャンセル料とか全部払《はら》わなきゃいけないかもと思ったし。」

サトミは目を丸くして乗り出してきた。

「どうなったの？」

「キャンセル料は発生しないし、先払《さきばら》いした費用《ひよう》も全部返ってくるんだって。」

サトミはあたしの肩《かた》をポンとたたいた。

「塾《じゅく》の人も、その子の親もめちゃくちゃ良心的じゃん。そういう意味ではツイてたよね。」

「今回ばかりはホントに反省した。これからは注意深くなるように努力するよ。」

数日間に味わったハラハラを全部サトミに話し終わり、あたしはひさしぶりに落ち着きを取りもどしていた。この何日かは、その子の親からメールや電話があるたびにビクビクしてたんだもの。ドジで人に迷惑《めいわく》かけたらダメだよね。


うちに帰ると、郵便受《ゆうびんう》けに封書《ふうしょ》が1通届《とど》いていた。

もしかして……「一度はああ言ったけど、やっぱり訴《うった》えます」っていう通知だったらどうしよう⁉

ドキドキしながら封筒《ふうとう》を開けると、中には1000円札が1枚《まい》と、「ありがとう。すみません」と書いたメモ用紙が入っていた。差し出し人の名前はない。

あたしは首をひねった。

どうやらこの一件《いっけん》に関係があるようだが、主人公はだれかに感謝《かんしゃ》されるようなことをしたのだろうか。

差し出し人は、スーツケースをよけて転んだ小学6年生の男の子。彼《かれ》は転んだとき、じつは頭を打ったりはしていなかった。塾《じゅく》の夏合宿に行かずにすむ絶好《ぜっこう》のチャンスだと思い、親に「頭をぶつけた」とウソを言ったのである。

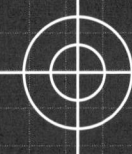

だが、自分のウソのせいでスーツケースを落とした女性《じょせい》に迷惑《めいわく》がかかる可能性《かのうせい》があると気づき、「よけられないほどじゃなかったのに、自分があわててしまったから転んだんだ」と一生けんめいに女性《じょせい》の弁護《べんご》をした。

しかし、結果的には検査代《けんさだい》を半分払《はら》わせることになってしまったのを申し訳《わけ》なく思った男の子は、おわびの気持ちからこっそり自分のおこづかいを送ったのだ。1か月のおこづかいは大金だが、塾《じゅく》の合宿をまるごと休めたお礼としては高くないと思ったようだ。

30

ガラクタ売り

失敗↓なぜ？

「いらっしゃい。」

オレが声をかけると、ベレーをかぶった金持ちそうな男は軽く頭を下げてしゃがみこんだ。こいつはいいカモになってくれそうなにおいがするぞ。

日曜日の昼下がり、この公園では素人《しろうと》が地面にシートをしいて勝手に店を広げている。手作りアクセサリーやら古着やら、最近は書を売るヤツもいたり、似顔絵《にがおえ》かきもいたり、なんでもアリでけっこうにぎわっている。おかげでオレみたいなガラクタ売りもそこそこもうかるのだ。

昔のジュースのガラスびん、お菓子《かし》の空きカン、古びたカゴ……オレが並《なら》べてるのはゴミ置き場から拾ってきたものばかりだ。近くの海岸で拾った流木や貝がらもある。並《なら》べ方がいいのかオレのセンスがいいのか、若《わか》い女の子が「これ、オシャレ！」なんて言って買っていったりするんだよ。

ベレーの男は、最初はパイプとかこわれた腕《うで》時計とかをひとつひとつながめていたが、次に石に目をとめた。丸くてすべすべのや、いびつな形のや、いろんな石を並《なら》べてある。これも海辺で拾ってきたものだ。

「これ、なんだかいいですね。」

「その大きいのは５００円、三角のは８００円。」

「へえ、小さいほうが高いんですね。」

あえて値段《ねだん》に差をつけるのもテクニックのうちなんだ。なんでも安くすりゃ売れるってわけでもない。一見くだらなそうなものに価値《かち》を見つけてお金を払《はら》うことを楽しみにしてるんだよ。こういう物好きそうなおじさんは特に。

ベレー男は、大きくてざらざらした変な形の石が気に入ったらしい。ひざの上に置いて、顔をくっつけるように抱《かか》えこんでいる。

そこへ、小学生の男の子がやってきた。

「こんにちは、石のおっちゃん、これ100円にまけてよ。」

男の子が持っているのは、200円の怪獣《かいじゅう》のフィギュアだ。いきなり半額《はんがく》に値切《ねぎ》るとはいい根性《こんじょう》してるよ。

「だめだめ。200円でもずいぶん安くしてるんだから。」

「だってさ〜オレ、100円しか持ってないんだもん。」

すると、ベレー男が顔を上げた。

「よし、じゃあおじさんが100円出してあげるよ。」

「やったー！　おじさん、ありがとう！」

見ず知らずの子どもに、ずいぶん気前がいいんだな。まあ、人が金を出すのに文《もん》句《く》を言うすじあいもない。

ベレー男は、ひざに抱《かか》えていた石を買ってくれた。きれいな石でもないが、いろんな趣味《しゅみ》の人がいるもんだ。ベレー男が、500円玉をわたしながら言う。

「こういう石、もっとないんですか？」

「また、探《さが》して持ってくるんで見に来てくださいよ。日曜はよくここにいるんで。」

「うん、また寄《よ》らせてもらうよ。」

オレは、ベレー男と男の子の後ろ姿《すがた》を見送った。

2、3日後、オレは前に石を拾った海岸に出かけていった。
ところが。ベレー男が買ってくれたのと同じようなのがいくつかあったはずなのに、見つからない。

もしかして、あの石は値打《ねう》ちがあるものだったのかも。

やられた。あのベレー男のしわざなのか……!?


ベレーの男は、なぜ石を集めた場所がわかったのだろうか。

解説《かいせつ》

なんの変哲《へんてつ》もない石のように見えても、中には値打《ねう》ちが高い石がある。ベレーの男が500円で買ったのは「竜涎香《りゅうぜんこう》」というめずらしい石。マッコウクジラから排《はい》泄《せつ》される結石《けっせき》や胆石《たんせき》のかたまりで、見た目は悪いのによい香りがするのが特徴《とくちょう》だ。ベレーの男は石をひざに抱《かか》えこみながら、香りを確《たし》かめていたのだ。

これを安く買えただけでも十分だったのだが、男の子がやってきて「石のおっちゃん」と呼《よ》びかけたときにベレーの男はピンときた。「もしかして、この男の子は彼《かれ》が石を集めているところにいあわせたのかもしれない」と。その推理《すいり》は当たっていた。

ベレーの男はそんな下心から男の子に100円を出してやり、まんまと石を集めた場所を聞き出したのだ。

31

校内マラソン大会

失敗→逆転《ぎゃくてん》？

これからマラソン大会だっていうのに、まずいなぁ。

オレはゴロゴロするおなかを抱《かか》えて校庭のはじのほうに立っていた。

あー、もうみんなスタート地点に並《なら》んでる。

校庭のトラックを1周して校外に出て……いるか神社を折り返し地点にもどってくると全部で15キロくらいあるらしい。

こんな状態《じょうたい》じゃ100メートルだって無理。

あ――――やばい、こりゃダメだ！

ピストルの音が鳴るとともに、オレは昇降口《しょうこうぐち》にかけこんだ。

どのくらい時間がたったんだろう。

トイレに長時間こもっていたオレは、げっそりして外に出てきた。

あーあ、みんなにボロクソ言われるんだろうな。「ゲリ男」とか「うんこ野郎《やろう》」とか言われなきゃいいけど。でも理由を言わないと「サボり」「ズルい」って思われるし。

足元がフラフラする。

なんとなく校庭に出てきちゃったけど、教室に入ってればよかったかな。

照りつける日差しがまぶしくて、チカチカする。

やばいな、脱水症状《だっすいしょうじょう》かも。そうだ、腹《はら》こわしたときって、水分いっぱい補給《ほきゅう》しなきゃいけないんだ。

視界《しかい》がぐにゃりとゆがんだ。

「み、水……。」

気がつくと、保健室のベッドの上だった。
そして起き上がると同時に、拍手《はくしゅ》に包まれた。

主人公はなぜ拍手《はくしゅ》で迎《むか》えられたのだろうか。

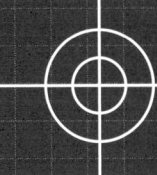

解説《かいせつ》

主人公がヨロヨロと歩いてきたのは校門寄《よ》りの昇降口《しょうこうぐち》だったため、彼《かれ》の姿《すがた》に気がついた先生は外からもどってきたとかんちがいした。想定していたタイムよりだいぶ早かったためゴールテープを用意していなかったのだが、ちょうどゴールのあたりで「み、水……」とつぶやきながら倒《たお》れた主人公を、先生たちは「全力で走ってきて体力を使い果たした」と思ったのだ。

校内マラソン史上第1位の記録をつくった彼《かれ》はみんなにほめられて、結局本当のことを言い出せなくなった。

32

万引き撃退《げきたい》作戦

危機《きき》→逆転《ぎゃくてん》？

店のシャッターを閉《し》めたあと、店長のコグレさんは深いため息をついた。

「いったいどうしたらいいんだろうなぁ。」

M《エム》書店は、ここのところ万引きに悩《なや》まされている。

「防犯《ぼうはん》カメラをつけたらどうですか？」

ベテラン店員のナガタさんが言うと、コグレさんは首を横にふる。

「防犯《ぼうはん》カメラなんてつけたくない。本とふれあう場所に、そんなものがあったらいごこちが悪いだろう。」

「細長い紙に『万引きは犯罪《はんざい》です。見つけた場合はただちに通報《つうほう》します』って印刷して、棚《たな》にはっている店もけっこう見かけますよ。万引き犯《はん》は、もし見つかってもたいしたことにならないと思ってるんですよ。逮捕《たいほ》されることをハッキリ訴《うった》えるのは万引き防止の効果《こうか》があるんじゃないですか？」

「オレはイヤだな。おどし文句《もんく》をベタベタはってたら、ちゃんとしたお客さんも疑《うたが》われてるみたいで不愉快《ふゆかい》だろう？」

ナガタさんは、腕《うで》組みをして考えこんだ。店長は心の底から本が大好きで、本屋を始めた人なのだ。それだけに、店の雰囲気《ふんいき》づくりにこだわりが強い。

「店長、ひとつアイディアがうかびました。わたしに『M《エム》書店のおすすめ本』コーナーをまかせてもらえますか？」

ナガタさんはカラフルな紙やペンを用意して、さっそく宣伝用《せんでんよう》のポップを書き始めた。

そして……ナガタさんが『おすすめ本』コーナーを作ると、万引きはピタリとなくなったのである。

万引きがなくなった理由は、ナガタさんが並《なら》べた「おすすめ本」と関係があるようだ。ナガタさんは、どんな本を選んだのだろう?

解説《かいせつ》

ナガタさんがおすすめ本に選んだのは『レ・ミゼラブル』。主人公のジャン・ヴァルジャンがひと切れのパンを盗《ぬす》んだために19年間もろうやに入れられていたというエピソードから始まる有名な小説だ。ミュージカルでこの話を知っている人も多いだろう。

ナガタさんは『レ・ミゼラブル』の本を大量に注文し、コーナーに積んだ。そして、あらすじを紹介《しょうかい》する形で「小さな盗《ぬす》みで人生が大きくくるう」ことを目立つように書き、万引き犯《はん》に訴《うった》えたのである。これなら後ろめたいことがない人にとっては、ただの本の紹介《しょうかい》にしか思えない。

33

釣《つ》り人《びと》のプライド

失敗→なぜ？

雲ひとつない秋晴れの空。晩秋《ばんしゅう》とはいえ少し暑いくらいだが、あざやかに色づいたイチョウが日よけになってくれてありがたい。

こんな日にのんびりと川に釣《つ》り糸をたれているのは最高だ。

「どうです、釣《つ》れますか？」

不意に、後ろから声をかけられた。

灰色《はいいろ》のウインドブレーカーに灰色《はいいろ》のズボンのさえないおっさんが立っていた。

釣《つ》りをしているとき、こういうふうに話しかけられることはめずらしくない。話しかけてくる人のほとんどは、自分も釣《つ》りをやっている人だ。

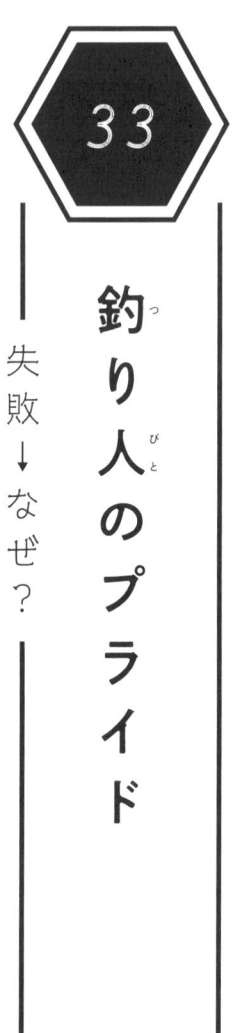

おっさんが、オレのバケツに目を落とした。

おっと、きょうはまだ1匹《ぴき》も釣《つ》れていないんだよな……。ちょっとはずかしい。

「きのうはだいぶ釣《つ》れたんですけどね。」

ウソだけど。

「へえ、そうなんですか。」

なんだよ、その疑《うたが》うような口ぶり!?

オレはムキになってしまった。知らない人とはいえ、ヘタクソと思われるのはムカつくのだ。まあヘタクソなんだけどさ。

「イワナが20匹《ぴき》くらいだったかな？　まあもっと釣《つ》れるときもあるけど。」

オレはなんでもないというふうに言った。なんだか言えば言うほどわざとらしくなる気もするが。

「イワナを？　本当ですか？」

このおっさん、相当オレを見下してるな。

「本当ですよ」と言おうとして、オレはハッとした。

おっさんの瞳《ひとみ》が、とてもやさしかったから。
「すみません……見栄をはって言いました。全部ウソです。」

主人公はなぜ急に「ウソだった」と言い出したのだろうか。

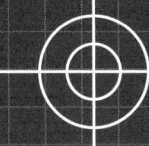

解《かい》説《せつ》

川や海で釣《つ》りをするにはルールがあり、獲《と》ってもかまわない魚もいれば漁業関係者でなければ獲《と》ってはいけない魚もいる。また、生態系《せいたいけい》を守るために獲《と》ってよい期間も決まっている。

主人公は見栄をはって「きのうイワナを20匹《ぴき》釣《つ》った」と言ったが、話しているうちに、今の時期にイワナを獲《と》ってはいけないことを思い出したのだ。

そして、このおじさんが川を取り締《し》まる「監視員《かんしいん》」だと気づいたため、あわててこう言ったのだ。地域《ちいき》によって異《こと》なる場合もあるが、イワナは10月ごろから2月ごろまでは禁漁《きんりょう》期間とされている。ルールを破《やぶ》った場合はかなりの罰金《ばっきん》をとられるケースもある。

監視員《かんしいん》のおじさんは、主人公が「本当のこと」を言っているなら罰《ばっ》さなければならない。ウソだと告白できるように念を入れて聞いてくれた、とてもやさしい人なのである。

34

結《けっ》婚《こん》記念日

失敗↓なぜ？

さっき友だちとの電話を切ってから、ママはため息ばっかりついている。

「この間の誕生日《たんじょうび》に大きな真珠《しんじゅ》のペンダントをプレゼントされた」っていう話を聞いて、そういえばうちのパパは最近まったく何もしてくれないことを思い出しちゃったんだって。

「あたしはパパの誕生日《たんじょうび》に時計をあげたりしてるのに、なんにももらってないもん。来週の土曜は20回目の結婚《けっこん》記念日だけど、どうせ忘れてるんだろうな。」

そのとき、あたしはわかったんだ。

あ、あれ、そういうことだったのかって。

パパはたぶん当日のお楽しみのつもりなんだと思うけど。

ママのきげんをなおすためなら、今しゃべっちゃってもいいよね。

「きのう、塾《じゅく》に行くときぐうぜん見ちゃったんだ。パパが大越《おおごし》デパートの1階に入ってくの。貴白堂《きはくどう》のカウンターでお店の人としゃべってた……。」

貴白堂《きはくどう》はとても高級そうなアクセサリーや時計なんかを売ってるお店だ。黒いスーツの店員さんが並《なら》んでて、子どもは近寄《ちかよ》れない雰囲気《ふんいき》。

「あら、もしかして……。」

ママのほおがサッとピンク色になった。

「パパ、忘《わす》れてなかったのね。そういうことなら、結婚《けっこん》記念日の日はうんとごちそう作らなくっちゃ。」

「ねえ、たまには2人で外で食事でもしてきたら？　あたしはおばあちゃんちに行ってもいいし。」

結婚《けっこん》記念日の日は近所のおばあちゃんの家に泊《と》まったあたしが、次の日の昼に帰ってくると。

「おかえり。」

庭で草かりをしていたパパが言った。

あれ、パパが庭の草かりしてるなんて、めずらしい。

玄関《げんかん》のドアが開いて、ママが出てくる。

「ユカ、おかえりなさい。」

「あれ、ママ出かけるの？」

ママは、あたしの頭をなでた。

「うん。友だちとカラオケ行ってくるから。パパ、庭の草かりが終わったら洗濯《せんたく》ものたたんで、アイロンかけと……あとお風呂《ふろ》のそうじもお願いね。」

そう言うと、スタスタと出ていってしまった。

「何かあったの？」と聞くと、パパは苦笑いをして言った。

「ユカがあのとき、声をかけてくれてたらなぁ……。いや、ユカのせいじゃない。パパが悪いんだけどな。」

結婚《けっこん》記念日の日、パパとママの間に何があったのだろうか。

解説《かいせつ》

パパがプレゼントを用意してくれていると思いこんだママは、結婚《けっこん》記念日にレストランを予約した。ところが、食事が終わって家に帰ってきても、パパはプレゼントを出す気配がない。しびれを切らしたママは、娘《むすめ》がパパの姿《すがた》を見たことを持ち出して問い詰《つ》めた。

そこでパパが白状《はくじょう》したのは、パパはそのとき店で買い物をしたのではなかったという事実。おこづかいを使いすぎてしまったパパは、かつてママにもらった高級な時計をその店で下取り（中古品を買い取ること）してもらっていたのだ。

ママが怒《おこ》るのも当然。プレゼントばかりが大事ではないが、連れそう相手に愛情《あいじょう》を表現《ひょうげん》するのは大切なことである。

35

ファンタジー小説家

危《き》機《き》→逆《ぎゃく》転《てん》？

静かな夜。リュウジはとある豪邸《ごうてい》の庭に身をひそめていた。この家には、有名なファンタジー小説家のハナムラマリエが1人で暮《く》らしている。リュウジ自身も中学生くらいのころにマリエの小説を読んだことがあった。代表作である、魔法《まほう》世界を舞台《ぶたい》としたエンターテインメント小説は何十巻《かん》にもわたるシリーズ作で、今も売れ続けている。盗《ぬす》みに入るにはもってこいだと目をつけたのだ。ただし、彼女《かのじょ》はほとんど外出しないので、深夜にしのびこむことにしたのである。

リュウジはスラッとした美青年で、この間までモデルをやっていたが、仕事に遅《ち》刻《こく》してばかりでクビになってしまった。ほかのバイトも続かず、お金がなくなってからは友人のもとを転々《てんてん》としていたが、ついに犯罪《はんざい》に手をそめることを考えたのである。

2階のあかりが消えて、しばらくたってからリュウジはそろそろと家の玄関《げんかん》のほうへ歩き出した。

(わっ!)

あやうく声を出しそうになる。玄関《げんかん》に人が近づくとライトが点《つ》くようになっていたのだ。プロの犯罪者《はんざいしゃ》ならこんなことは想定ずみだが、リュウジは素人《しろうと》だからしょうがない。

(窓《まど》を破《やぶ》って入るか。)

リュウジは家のまわりをグルグル回った。しかし、がんじょうそうな格子《こうし》がはまっている窓《まど》ばかりで、とても入れそうにない。

裏《うら》のほうに回ると、物置小屋があった。

(ここに何か使える道具があるかも?)

トビラに鍵《かぎ》はかかっておらず、スッと開いた。

ところが……。

ワン、ワンワン！

そこは物置小屋ではなく、かなりりっぱな犬小屋だったのである。

いきなりほえられて、リュウジは心臓《しんぞう》が飛び出しそうになった。

（1匹《ぴき》じゃない。3匹《びき》……か!?）

入口に立ちすくむリュウジのそばを、1匹《ぴき》のボルゾイ犬がかけぬけ、外へ飛び出していく。

家の2階のあかりが点《つ》くのが目に入った。

（やばい、どうすれば……。）

主人が表の玄関《げんかん》から出てくれれば、はち合わせしてしまう。

高いへいは乗り越《こ》えられそうにない。困《こま》った末に、犬小屋にもどってきてしまった。幸い、残った2匹《ひき》はおとなしい。リュウジは犬に好かれるほうなのだ。

（とりあえずここに隠《かく》れるか。）

しかし、次の瞬間《しゅんかん》。

「だれかいるの？」

リュウジは懐中電灯《かいちゅうでんとう》の光に照らし出されていた。

万事休すだ。

（何か、うまく言いわけできる方法はないか……。）

リュウジは必死で考えた。

（迷子《まいご》になったとか……そんなんじゃダメだ。犬を見に来たとか……いやいやこんな深夜じゃおかしいだろ。えーと……。）

そのとき、電光のようにひらめいたことがあった。

リュウジは、モデル時代に身につけた最高の笑顔をうかべて口を開いた。

「マリエさん、いつも世話をしてくれてありがとうございます。ぼくは、これまで魔法《まほう》で犬にされていたのです。」

リュウジがとっさにこう言ったのは、マリエの小説に魔法《まほう》で犬に変えられた人間の話があったのを思い出したからだ。

マリエは小屋の中の犬が１匹足りないと気づくと、目を輝かせた。

「まあ……信じられないわ。今まで、魔法《まほう》のお話をたくさん書いてきたけど、現実《げんじつ》にこんなことが起こるなんて！　あなたは……メリーなのね？」

「そうです。メリーです。」

マリエはリュウジを家の中に入れると、食べ物をふるまい、客室に案内した。

（やれやれ。このおばさんが夢見《ゆめみ》がちなおかげでどうにかなった。あとは適当《てきとう》に……スキを見て逃《に》げ出せばいい。しばらく世話になってもいいか。）

だが2日後。目覚めるとリュウジは警察官《けいさつかん》に取り囲まれていたのである。

数日間も置いていたところを見ると、マリエはリュウジのウソを信じたようである。では、なぜ急に態度《たいど》を変えたのだろうか。

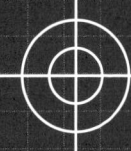

解説《かいせつ》

リュウジが逮捕《たいほ》されたあと、マリエはマスコミの取材を受けてこう語った。

「おはずかしいですけど、わたし、最初は本当に信じてたんです。メリーが魔法《まほう》で人間にもどったんだって。魔法《まほう》は本当にあるって、わたしは信じていますからね。何より、メリーはいなくなっていましたし、つじつまは合うでしょ？　でも、2日たって、おかしいと気づいたんですよ。メリーはメスだったんですから……。」

とっぴょうしもないウソを信じたのは、夢《ゆめ》のあるファンタジー作家ならでは。また、こんなことをより現実的《げんじつてき》に受け止めたファンタジー作家だからこそ、矛盾《むじゅん》に気がついたのかもしれない。

36

手作りケーキの店

失敗↓逆転《ぎゃくてん》？

子どものころからお菓子《かし》作《づく》りが好きだったわたしは、いつか手作りのケーキを出すカフェを開くのが夢《ゆめ》だった。

その夢《ゆめ》をかなえた日に、こんな失敗をやらかすなんて……。

商店街《しょうてんがい》の会長をつとめている文房具《ぶんぼうぐ》屋のフクイさんは、「オープンおめでとう」と、ダンス教室の仲間をたくさんつれてきてくれた。ありがたいことだ。

「フクイさんは味方につければ強いけど、一度にらまれるとやっかいだから気をつけてね」と、おとなりの花屋さんに聞いてたのに。

そのフクイさんをさっそく怒《おこ》らせてしまったのだ。

「ちょっと。ケーキにこんなものが入ってたんだけど！　いったいどういうことなのよ。」

フクイさんの手の上には、小指の先くらいの大きさの金属《きんぞく》のベルが乗っている。これは調理場で、ベーキング・パウダーを計るときに使っているスプーンの柄《え》についていたチャームだ。作業中にチャームがはずれて、アプリコットチーズケーキの中に入ってしまったらしい。

悪いのはわたし。だけどチャームの入ったケーキの1ピースが、たまたまフクイさんのもとに行くとはツイてない。

わたしが「申《もう》し訳《わけ》ございません」と言おうとして口を開こうとした瞬間《しゅんかん》。後ろからウェイトレスのアイちゃんがわたしの肩《かた》をポンとたたいて前に歩み出ると、「わたしからご説明させていただきますね」と話し始めたのだ。

「商店街《しょうてんがい》にこんなしゃれたお店ができてよかったわ。また来るわね。うちのお客さんたちにもオススメしとく！」

上きげんで帰っていくフクイさんご一行の背中《せなか》を、わたしたちは深々《ふかぶか》と頭を下げて見送った。ふうっと一息つくと、アイちゃんがウインクした。

「わたしって、なかなか有能《ゆうのう》なバイトだと思いません？」

わたしはうなずいた。

「バイト料、アップする！」

店の評判《ひょうばん》が上がるか、どん底になるかのせとぎわを救ってくれた……アイちゃんみたいに機転がきく店員にはいつまでもいてほしいもの。

アイちゃんはどうやってこの場をおさめたのだろうか。

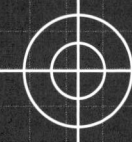

解説《かいせつ》

「そのベルは『フェーヴ』っていうんです。つまり『当たり』。海外では、お祝い事や行事のとき、ケーキにコインだったり……金属《きんぞく》や陶器《とうき》のチャームを入れるんです。これがケーキに入っていた人は幸運になると言われています。きょうは、開店祝いでひとつだけチャームを入れていたんですよ。」

アイちゃんがこのように説明すると、仲間たちに「さすがフクイさん、運がいいわね」と持ち上げられ、フクイさんはたちまち笑顔に。

主人公もここがチャンスと「フェーヴを引き当てた方へのプレゼントです」と、おみやげにクッキーをわたしたので、フクイさんはすっかりごきげんになったのだ。

フランスでは新年にフェーヴの入った「ガレット・デ・ロワ」というパイを食べる習慣《しゅうかん》がある。近年は日本でも広まりつつある。

37

自然なふるまい

失敗↓なぜ？

「ササガワさんの死亡推定時刻《しぼうすいていじこく》は3時から4時ごろですが、あなたはそのときどこにいましたか？」

「家にいました。1人で。」

オレは落ち着き払《はら》って答えた。推理《すいり》小説を読む限《かぎ》り、苦労してアリバイを作ると、かえってうまくいかないことが多い。オレはササガワともめごとがあったわけで、疑《うたが》われるべき人間だ。疑《うたが》わしい人間にアリバイがあるのはわざとらしい。だから、開き直って第一発見者のふりをしようと思ったんだ。

「わたしは、ここを5時に訪《たず》ねる約束をしていたんです。でも、インターホンを押《お》しても返事がない。変だなと思ったらドアに鍵《かぎ》がかかってなかったから『おい、入るよ』と声をかけながら部屋に入っていって……で、見つけたわけです。ササガワさんがあおむけに倒《たお》れているのを。」

「それで？」

刑事《けいじ》は熱心にメモをとっている。

「そばにナイフが落ちているし、刺《さ》されたんだってことはわかりました。呼《よ》びかけても返事はなくて……。もう脈《みゃく》もなかったです。で、すぐに自分のスマホを出して警察《けいさつ》に電話したんです。」

「この部屋に入って動かしたりさわったりしたものはありませんか？」

「どうだったかな。ササガワさんにかけ寄《よ》ってしゃがみこんだとき、テーブルを動かしちゃったかもしれません。あ、そうだ。それから電話をかけたあと、台所で水をコップ一杯《いっぱい》、飲みました。体がふるえて、のどがカラカラだったんで。」

台所で水を飲んだのは本当のことだ。どうかな。犯人《はんにん》はこんなこと言わなさそうだろ？

演出《えんしゅつ》しすぎはあやしまれる。だからオレはわざとらしく悲しんでみせるようなことはせず、ササガワとの関係がうまくいってなかったことも隠《かく》さずに話した。ちなみに刺《さ》したあとにヤツが動かなくなってから、足がガクガクしたのも、のどがカラカラだったのも本当だ。（犯人《はんにん》であり）第一発見者の自然な感情《かんじょう》をそのまま話したってわけ。省略《しょうりゃく》したのは、部屋に入るなりすぐにササガワをナイフで刺《さ》したことだけだ。

凶器《きょうき》は、隠《かく》したりせずにそこに転がした。もちろん手袋《てぶくろ》をはめていた。凶器《きょうき》をよそに捨《す》てるのは危険《きけん》なんだ。だれかに見られていないとも限《かぎ》らないからな。

通りすがりの強盗《ごうとう》のしわざに見せかけて、金目のものを盗《ぬす》んでおいたりするのも危険《きけん》。もっともらしいストーリーを作ると、ほころびが出るものなんだ。

ササガワは敵《てき》が多かったから、警察《けいさつ》はかなりの人数を取り調べているらしい。

オレの受け答えはカンペキだと思ったのだが……。

主人公は自信満々《まんまん》だが、彼《かれ》は致命的《ちめいてき》なミスを犯《おか》している。
それはどんなことだろうか。

解《かい》説《せつ》

主人公ははじめからササガワを殺《ころ》すつもりでやってきたので、ドアの前で手袋《てぶくろ》をはめ、ナイフを握《にぎ》っていた。ドアにも、犯行《はんこう》のあとにさわった水道やコップにも指紋《しもん》が残っていないのはおかしい。これを追及《ついきゅう》されたことがきっかけとなり、主人公は罪《つみ》を自白することになった。

指紋《しもん》から犯人《はんにん》が割《わ》り出されることはよくあるが、「指紋《しもん》がない」ことが証拠《しょうこ》になる場合もあり得《え》るのだ。

38

ねぼう

失敗↓逆転《ぎゃくてん》？

スマホが鳴っている。

アラームの音かな？　ちがう、電話だ！

「アーリーバード・カフェ」。あたしのバイト先からだ。

時間を見ると……7時43分。

うわぁ。きょうは7時出勤《しゅっきん》だったのに、やっちゃった……。

しかも今朝はスタッフが少なくて、店長と2人きりだから「あしただけは絶対《ぜったい》に遅刻《ちこく》しないでね」って念を押《お》されてたのに。

電話は鳴り続けている。

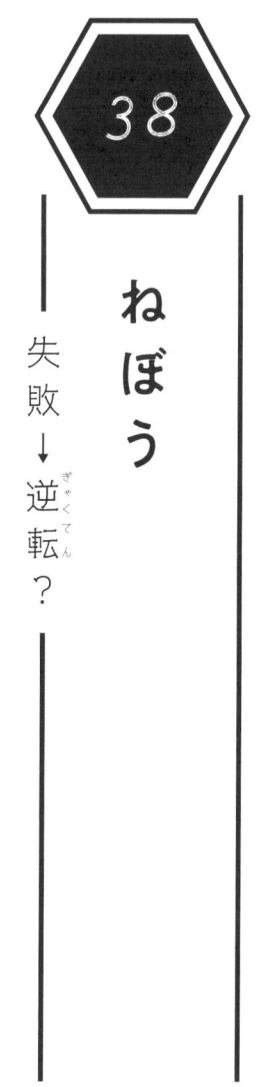

めっちゃ怒《おこ》られるだろうな〜。あ〜、消えてしまいたい。

「じつは熱が出ちゃって」とか仮病《けびょう》つかう？　いやいや、それだったら自分から連《れん》絡《らく》するじゃん。連絡《れんらく》できないくらいひどい症状《しょうじょう》ってことにしちゃうと、大ごとになっちゃいそうだし。

考えをめぐらしてたら、パッと日めくりカレンダーが目に入った。これには毎日、ひとつ「ことわざ」が書いてあって。

きょうの「ことわざ」は「正直の頭《こうべ》に神宿る」。

意味は「正直な人には、必ず天の助けがある」だって。横に書かれた解説《かいせつ》を見て、あたしは心を決めた。

よし、正直に「ねぼうしました」って言おう。

通話ボタンを押《お》し、大きく口を開く。

「すみませんっ！　まだ家にいるんです！」

すると。聞こえてきたのは……どなり声ではなかったんだ。

「オオサキさん、家にいるのね。ああ、よかった！」

主人公はなぜ怒《おこ》られなかったのだろうか。

解説《かいせつ》

じつはこの朝、オオサキさんが使っている路線で電車の事故《じこ》が起こっていた。多くのケガ人が出ているとのニュースが流れたため、店長はオオサキさんは通勤中《つうきんちゅう》に事故《じこ》にまきこまれたのではないかと心配していたのだ。

このあとオオサキさんはだいぶ遅《おく》れて店に着いたが、店長は怒《おこ》らなかったという。一度最悪の事態《じたい》を想像すると、人は「遅刻《ちこく》なんてたいしたことじゃない。ともかく無事でよかった」と思ってしまうものなのだ。

39

強盗《ごうとう》のカン

失敗↓なぜ？

住宅地《じゅうたくち》の奥《おく》のほうにある1階建ての家に、オレは前から目をつけていた。

このあたりは大きな家が多いが、あまり密集《みっしゅう》していないから声を上げられても近所の人に気がつかれそうにない。

しかも夜になってもあかりが点《つ》かない家が多く……つまり空き家が多い地域《ちいき》なのだ。

オレは意を決して、その家のインターホンを押《お》した。

「こんにちは。ガスもれの点検《てんけん》にまいりました。」

慣《な》れたウソを言うと、ドアが開いた。

オレはドアのすき間に足先を入れるとガッとドアを開き、中にすべりこんで後ろ手でドアを閉《し》める。

目の前にいるのは、腹《はら》の出た中年の男だ。いきなり入ってきたオレをにらみつけたが、もう遅《おそ》い。

銃《じゅう》を突《つ》きつけると、男の顔がサッと青ざめた。

「家の中に、ほかにだれかいるか？」

声をひそめて言う。

「いや。わたし1人だ。」

「本当だろうな。ウソだったらすぐに頭をぶちぬくぞ。」

「本当だ。」

「じゃあ家の中を案内してもらおうか。」

オレは男の背中《せなか》に銃《じゅう》を突《つ》き立てながら、土足で家に上がる。

玄関《げんかん》の靴《くつ》の数が少ないところを見ても、ほかに人はいなさそうだ。

それにしてもオレのカンはなかなかだ。フワフワのじゅうたんはおそらく本物の毛皮だろう。かべにはトラの毛皮がかかっているし、ウミガメやワシのはくせいもかざってある。テーブルに並《なら》べてある腕《うで》時計や万年筆といい、こいつはかなりの金持ちらしい。

ひと通り、部屋を見て回るとオレは言った。

「よし、金を出せ。金目のものも、あるだけ出せ。」

ところがそのとき、信じられないことが起こった。

「警察《けいさつ》だ！　手を上げろ！」

という声とともに、警察官《けいさつかん》たちが乗りこんできたのだ。

オレは男をまじまじとながめた。

どこでミスったのか？

オレがぴったりくっついていたんだから、電話はもちろんだれかにこっそりメールできるはずもないのだが……。

だれも通報《つうほう》していないのに、なぜ警察官《けいさつかん》が乗りこんできたのだろうか。

解説《かいせつ》

警察《けいさつ》は通報《つうほう》を受けて来たのではない。この家の主が、動物のはくせいなどを密輸《みつゆ》入《にゅう》しているのを以前からつかんでいたのだ。

たまたまこの日、この時間にやってきた強盗犯《ごうとうはん》は運が悪かったとしか言いようがない。

動物の毛皮やはくせいは、輸出《ゆしゅつ》や輸入《ゆにゅう》、また個人的《こじんてき》なおみやげとしても海外から持ちこむことが禁止《きんし》されているものがある。トラやヒョウの毛皮、象牙《ぞうげ》、ウミガメやハヤブサのはくせいなどはその代表格《だいひょうかく》。絶滅《ぜつめつ》のおそれがある動物を守る大事な法《ほう》律《りつ》だが、これを破《やぶ》って高額《こうがく》で取り引きをする密輸《みつゆ》業者はあとをたたない。

40

テストの結果は?

危《き》機《き》→逆《ぎゃく》転《てん》?

夏休みに入ってからというもの、あたしはとってものびのびした生活を送ってる。
なぜかっていうと……ママがいなかのおばあちゃんの畑仕事の手伝いに行ってるから。
中学生になってからというもの、ママはめっちゃ勉強にうるさいんだ。
あたしのことを心配してくれてるのはわかるんだけど。
きょうも電話でしゃべったとき、わざわざ塾《じゅく》のテストのことを聞いてきた。
「そろそろテスト、返ってきたんじゃない?　数学、どうだった?」
ママはあたしが数学が苦手なのをかなり気にしてる。

正直に言ったら怒《いか》りくるうだろうなぁ。

でも、見えすいたウソもつきたくないし。

「えーと……1問だけ、まちがいを書いちゃったんだよね。」

「1問だけ？　すごいじゃない。」

「あはは。まあね！」

「ママ、安心した。おばあちゃんの腰《こし》の調子がよくないから、まだ当分帰れないけど。その調子でがんばってね！」

「うん、まかしといて。」


あたしは電話を切ると、さっきまで読んでたマンガをとじて勉強机《づくえ》に向かう。

成績《せいせき》が悪かった人向けに、1週間後に再試験《さいしけん》があるんだ。

今度は本気出してがんばらないと！

で、つじつまを合わせないとね。

主人公はウソはついていないというが、何かごまかしていることがあるらしい。どういうことだろうか。

解説《かいせつ》

主人公は「1問だけまちがいを書いた」と言ったが、それは解答《かいとう》に「×」がついた問題のこと。ほかの問題には解答《かいとう》さえ書けなかったのだ。つまりは0点。こんなへりくつを考えつくなんて、本当は頭のいい子なのかもしれない!?

41

おばあちゃんの形見分け

失敗→逆転《ぎゃくてん》？

おばあちゃんが死んでしまって1年がたつ。

「一周忌《き》の法要」が終わったあと、おじさん、おばさんの家に来ておばあちゃんの「形見分け」をすることになった。一周忌《き》を機に、おばあちゃんの部屋をかたづけるんだって。なんだかさびしいな。

ママやお姉ちゃん、おばさんやいとこたちは、おばあちゃんの着物とかアクセサリーを見つくろってる。

遠まきに見てたら、おばさんが声をかけてくれた。

「アカネちゃん、おばあちゃん子だったんだから、記念に何かもらっておきなさいよ。」

「そうよね、小さいころからここに来ると、おばあちゃんにべったりだったものね。おばあちゃんもアカネちゃんのこと、一番かわいがってて。」

「ほら、この真珠《しんじゅ》のペンダントなんか、若《わか》い子にも似合《にあ》うんじゃない？」

おばさんがペンダントを差し出すと、すかさずお姉ちゃんが手をのばす。

「えー、これは中学生にはまだ早いでしょ。あたしがもらってもいい？」

「いいよ、お姉ちゃんがもらいなよ。」

あたしはニコッと笑う。

「あたしは本がほしいな。」

おばあちゃんの本棚《ほんだな》を指さすと、みんな、ものめずらしそうにあたしを見る。

「そんなかさばるもの、あんまりたくさん持って帰らないでよ。」

ママがちょっといやそうに言う。

「うん。ちゃんと選ぶよ。」

あたしは本棚《ほんだな》の前に座《すわ》って、一冊《さつ》ずつていねいにながめ始めた。

「アカネちゃんって欲《よく》がないわね。もっといいものをもらっておけばいいのに。」

「ふふふ、まだ子どもだから。ものの価値《かち》がわからないのよ。」

そんな声が聞こえてきたけど。

うーん。そんなことないんだよ。ホントはね……。


アカネのねらいはどこにあるのだろうか。

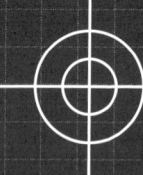

おばあちゃんと仲のよかったアカネは、彼女《かのじょ》のくせを知っていた。

それは、「へそくり」を本にはさんでおくことだ。

おばあちゃんはアカネにときどき「人生の知恵《ちえ》」を語っていた。「いざというときのためにお金を本にはさんでおくこと」もそのひとつだったのである。へそくりは、いっしょに住んでいる人にヒミツにしないと意味がない。だから、アカネ以外の人はこのことを知らなかったのだ。

お札を紙の中に隠《かく》すのはいい方法だ。だが、家族に処分《しょぶん》されてしまう可能性《かのうせい》があるような本にはお金をはさまないこと。

42

手がたい男

失敗↓なぜ？

さあ、すっかり暗くなったし仕事に行くとするか。

オレの職業《しょくぎょう》は強盗《ごうとう》。といっても、強盗《ごうとう》のうちでもささやかで地味な部類に入るだろう。金持ちの家をねらうようなハデなことはしないから。

服だって、いかにも強盗《ごうとう》っぽい黒ずくめなんかじゃない。きょうはグレーのブルゾンにベージュのパンツ、紺《こん》色のスニーカー。どこにでもいそうな地味な人間を装《よそお》っている。仕上げは、黒ぶちのメガネ。

オレのやり方はこうだ。

夜遅《おそ》くなってから人通りの少ない道を歩く。

それで、老人とか、いかにも弱そうな女とかがたった1人で歩いているのを見かけたらさりげなく近寄《ちかよ》って声をかけるんだ。

「あの……この近くに交番はありませんか？」

「ありますよ」と言われたら、道順を教えてもらってていねいにお礼を言い、そっちのほうへ歩いていく。事情《じじょう》を聞かれた場合には「友だちの家から帰る途中《とちゅう》でさいふを落とした」という設定《せってい》が用意してある。

「この近くに交番はないですね」と言われたら、オレはそいつの背中《せなか》に太いマーカーペンを押《お》しあて、ドスのきいた声で言うんだ。

「声を出すと命はないぞ。おとなしく金を出せ。」

相手は背中《せなか》にナイフの柄《え》とか銃《じゅう》を突《つ》きつけられたと思って、あわててさいふを出す。なんでホンモノを持たないかっていうと、万が一警察官《けいさつかん》に会って職務質問《しょくむしつもん》をされたらヤバいからだ。

この方法は成功率《せいこうりつ》が高い。

ねらった相手があまり金を持ってなくてガッカリすることもあるが。さいふをうばったら「通報《つうほう》したらぶっ殺《ころ》すぞ。おまえの家はわかってるんだ」と言って逃《に》げる。オレの仕事はニュースになっていないところをみると、みんなこのでまかせを信じているようだ。


きょうも、ちょうどよさそうなカモが見つかった。

オレは、100メートルくらい前を歩いている女との距離《きょり》をじりじりせばめながら、そいつを観察した。

身長は150センチくらい。

太ってもやせてもいない。

ヒールの低いパンプスの音がコツコツと鳴っている。ひざが隠《かく》れるくらいのスカートのすそが、歩くたびにヒラヒラゆれる。

危険《きけん》のない人物であることを示《しめ》すため、最初はちょっと距離《きょり》のあるところから声をかける。

「すみません。ちょっとおうかがいしたいんですけども。」

彼女《かのじょ》は足をとめてふり向く。

「あの……この近くに交番はありませんか？」

こう言うと、警戒《けいかい》していた顔がゆるむ。ちょっと考えて彼女《かのじょ》は口を開いた。

「うーん、この近くにはないですね。」

このわずか5分後。オレは交番で手錠《てじょう》をはめられていた。


この男はどこで失敗したのだろうか。

解《かい》説《せつ》

この女性《じょせい》は私服《しふく》の警察官《けいさつかん》だったのだ。主人公のこれまでの犯罪《はんざい》は、彼《かれ》のおどし文句《もんく》の通り、被害者《ひがいしゃ》が殺《ころ》されるかもしれない可能性《かのうせい》を考えてニュースになっていなかっただけで、警察《けいさつ》には伝わっていた。

たまたま声をかけられた警察官《けいさつかん》は「声を出すと命はないぞ。おとなしく金を出せ」と言われた瞬間《しゅんかん》、本物の銃《じゅう》を取り出して突《つ》きつけ、すぐにパトカーを呼《よ》んだのだった。人は見かけだけではわからないものである。

43

人命救助

失敗↓なぜ？

うららかな春の日の昼下がりのことだった。

初老の男性がふらふらっと左右にゆれたかと思うと、イスからすべり落ちて床《ゆか》に倒《たお》れた。

「だいじょうぶですか⁉」

となりに座《すわ》っていたカワハラはタバコの火を消すとすぐに立ち上がり、男のそばにしゃがみこんだ。

苦しげに眉《まゆ》をひそめた男の顔は、紙のように真っ白だ。

腕《うで》をそっとつかむと、脈《みゃく》は弱々《よわよわ》しい。

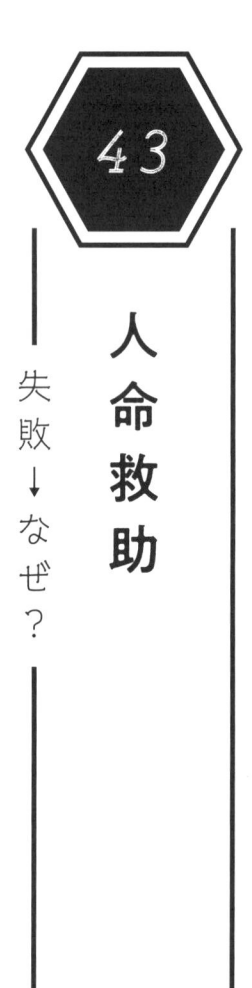

カワハラはスーツのポケットに手をつっこみ、スマホの電源《でんげん》スイッチをオンにする。店内はBGM《ビージーエム》がやかましいのでいったん店を飛び出し、救急車を呼《よ》ぶとすぐに男のそばにもどった。

心臓《しんぞう》に手を当ててみると……止まっている。

(うまくいくかわからないけど、やるしかない。)

カワハラは男に馬乗りになると、心臓《しんぞう》マッサージを始めた。

「あっ、どうしたんですか?」

「次はオレがかわろう!」

ようやく異変《いへん》に気づいた店員や、店の客たちが集まってきたころには救急車が到《とう》着《ちゃく》していた。

救急車が男を乗せて去ったあとも、その場はしばらく騒然《そうぜん》としていた。

警察官《けいさつかん》がにこやかに、カワハラに話しかける。

「いやあ、ありがとうございました。救急隊員の方によるとあなたの応急処置《おうきゅうしょち》がよかったおかげで回復《かいふく》し、もう状態《じょうたい》は安定しているそうです。」

大きな拍手《はくしゅ》がわき上がる。

「お名前と連絡先《れんらくさき》を教えていただけませんか？　人命救助協力に感謝《かんしゃ》して、後日、表彰状《ひょうしょうじょう》が贈《おく》られることになります。」

警察官《けいさつかん》にペンを差し出されたカワハラは、首を横にふる。

「けっこうです。ぼくは当然のことをしただけですから。」

「おくゆかしい、りっぱな人だ。」

野次馬《やじうま》の1人が感心したように言うと、1人の女性《じょせい》が進み出て名刺《めいし》を差し出す。

「わたしはK《ケー》新聞の記者をしております。このことをK《ケー》新聞の地域欄《ちいきらん》に載《の》せたいと思うのでちょっとお話を聞かせていただけませんか？」

「いえ。あの、時間がないので、もう行かないと。」

「まあ、そう言わずに。」

帰ろうとするカワハラを、集まっていた人たちが取り囲む。

（まずいことになっちゃったな……。）

カワハラはよいことをしたのに、なぜこんなに困《こま》っているのだろうか。

解《かい》説《せつ》

カワハラがいたのはパチンコ屋。彼《かれ》は、じつは仕事をサボってパチンコをしていたので、その日、その時間にどこで何をしていたかが公表されてはまずいのだ。

44

侵入者《しんにゅうしゃ》

失敗↓なぜ？

お姉ちゃんの部屋は、あたしの「別荘《べっそう》」だ。

お姉ちゃんはあたしよりおこづかいをいっぱいもらってるし、高校生でバイトもしてるからいろんな物を持ってる。

「部屋に勝手に入ったらダメだからね」って言われてるけど、じつは留守《るす》の間にけっこう入りびたってるんだ。

絶対《ぜったい》バレないよう、後始末は慎重《しんちょう》にね。お姉ちゃんが帰ってくる時間はだいたいわかってるから、よゆうを持ってかたづけるようにしてるんだ。

よくやるのは、ファッションショーごっこ。

これは、もしバレたらすごく怒《おこ》られるやつ。

ベッドにひっくり返ってマンガやファッション雑誌《ざっし》を読んだあとは、ベッドカバーの乱《みだ》れ具合も、マンガの雑《ざつ》な積み方も元通りに再現《さいげん》。お姉ちゃんの部屋はいつも散らかってるから、きれいにしすぎないよう気をつかう。

こっそりマニキュアを借りて、足のつめにぬってみたりもしちゃう。マニキュアなんてちょびっとぬったくらいじゃ、減《へ》らないもんね。靴下《くつした》はいちゃえばバレないし。もちろんお姉ちゃんに見られる前に落とさないとダメだけど、そのスリルも楽しいんだ。最近はおやつを持ちこんだりもしてる。もちろん、雑誌《ざっし》のページとかにカスを落とさないように注意して。

あの日もあたしは、入れたてのココアのマグカップを片手《かたて》にお姉ちゃんの部屋に侵入《しんにゅう》した。部屋があったまってるとバレちゃうからヒーターはつけない。だから、あったかい飲み物が必要なわけ！

マンガや雑誌《ざっし》は新しいのがなかったから勉強机《づくえ》の前に座《すわ》る。ここもゴッチャゴチャ。積み上がってる教科書やノートをパラパラ。ペン立てにささってるカラーペンやボールペンはぎゅうぎゅうすぎて取れない。これは元にもどすのが難《むずか》しそうだからやめとこう。日記とか手紙とかないかなーと思ってあさったけど、おもしろいものは見つからなかった。

お姉ちゃんが、「あんた、あたしの部屋に入ってるでしょ」と言ってきたのは、次の日の夜だった。

「え、なんで?」って、とぼけようとしたけど。

なんとお姉ちゃんはしっかりした証拠《しょうこ》を突《つ》きつけてきたんだ。

お姉さんはどんな証拠《しょうこ》から、主人公が部屋に入ったことを見《み》破《やぶ》ったのだろうか。

解説《かいせつ》

主人公は温かいココアのマグカップを、勉強机《づくえ》に積んであった教科書の上に置いた。散らかっていてほかに置き場がないためにそうしたのが運のつき。お姉さんは、教科書に書きこみをするとき、こすって消すことができるタイプのボールペンを使っていた。このペンは摩擦《まさつ》で消えるしくみで、温められたときにも同じことが起こる。

教科書の書きこみが丸い形に消えていたことから、お姉さんはだれかが教科書の上に「丸い形」の温かいものを置いたと推理《すいり》したのだ。

ちなみに熱で消えてしまった書きこみは、冷蔵庫《れいぞうこ》に入れるなどして冷やすと復活《ふっかつ》する。

45

最高級のフン

失敗→逆転《ぎゃくてん》？

「こ、これはなんですかっ！」

大事な取り引き先の社長、ミヤザワさんが鼻をつまんで今開けたばかりの箱をこっちに押《お》しやってきて……オレは目を丸くした。

ミヤザワさんがわざわざうちの会社にいらっしゃることになったので、高級なチョコレートを用意してきたはずなのに。

どういうことなんだ、これは……。

箱の中に入っているのは、コロコロとした丸いフン。

ほんの10秒くらいの間にオレはすべてを理解《りかい》した。これはうちの息子《むすこ》が世話をしているウサギのフンにそっくりだ。たぶん、あいつはオレが用意していたチョコレートの箱を開けて、中身をウサギのフンと取りかえた。そして元通りにラッピングしたにちがいない。なんてこった！　ほんのいたずらじゃすまされないぞ。これで社長のきげんをそこねでもしたら大変なことになる……。

しかし、今は息子《むすこ》に腹《はら》を立ててるよりも、この場をどうにかしなきゃいけない。

ミヤザワさんはいや～な顔をしてオレをにらんでいる。「ちょっとした手ちがい」なんて言ってすまされる雰囲気《ふんいき》ではない。

オレは、ひとまずキリッとしてみせた。

「その……これは、動物のフンです。」

「そんなのは見りゃあわかるよ！」

「フンはフンでも……最高級のフンなのです。」

ミヤザワさんは何につけ「最高級」が好きな人なのだ。

そして、この言葉を口にしたとき、オレはひらめいたんだ。

「驚《おどろ》かせてしまって申《もう》し訳《わけ》ございません。ミヤザワさんは目が肥《こ》えていらっしゃる方ですから……とてもめずらしいものなので、原料の状態《じょうたい》をお見せしたかったんです。少々《しょうしょう》お待ちください。すぐに味わっていただきます。」

オレは大げさに自信ありげな笑みをうかべてみせ、箱を持って応接室《おうせつしつ》を出た。

主人公はなんと言ってこの場を切りぬけたのだろうか。

応接室《おうせつしつ》にもどってきたとき、主人公は入れたてのコーヒーを持ってくるとこう言ったのである。

「さきほどは失礼しました。これは〝コピ・ルアク〟といって、社長ならご存知《ぞんじ》かと思いますがジャコウネコのフンからとれる世界最高級といわれるコーヒーです。」

コピ・ルアクとはジャコウネコにコーヒー豆を食べさせ、フンから未消化のコーヒー豆を採取《さいしゅ》したものだ。ジャコウネコの腸《ちょう》内の酵素《こうそ》や細菌《さいきん》によって発酵《はっこう》が起こり、香水のような香りがする。

もちろん主人公はコピ・ルアクを用意していたわけではない。オフィスにあったコーヒーに紅茶《こうちゃ》を少々《しょうしょう》まぜたデタラメなものを入れてきた。そして、社長をおだてながらどうにか「最高級のコーヒー」だと信じさせることに成功したのである。

46

りこうな番犬

失敗↓なぜ？

「気に入ったわ。この子にします。」

ヨシノさんはシェパードの小犬を指さして言った。

「この子なら頭もいいし、しつけもすっかりできています。お気に召《め》してよかったです。」

犬の専門店《せんもん》「ハッピー・ドッグ」の店長は、ほほえみながらシェパードの頭をなでた。

ヨシノさんは昔から犬が好きだった。最近、近所で空き巣ねらいが増《ふ》えていると聞いて、番犬になるような犬を飼《か》おうと思ったのだ。

ヨシノさんは小犬にルーという名前をつけてかわいがった。

小学生の子どもたちはルーを散歩に連れていったり、庭やガレージで遊んだりするのに夢中《むちゅう》になった。ルーは賢《かしこ》い犬だった。

ある日、ヨシノさんの家を訪《たず》ねてきたお客さんが家の門を勝手に開けたとき、ルーは犬小屋から飛び出してはげしくほえた。となりのおじさんもびっくりして様子を見に来たほどだ。

「びっくりさせてごめんなさいね。知らない人を見るとこうなのよ。」

ヨシノさんは近所の人にあやまりながらも、満足していた。

(さすが、番犬としても一流だわ。)

ところが……ルーがヨシノ家にやってきて1か月ほどたったころ。

家族全員で日帰り温泉《おんせん》旅行から帰ってきたヨシノさんは、家に入ってびっくりした。家じゅうが荒《あ》らされていたのだ。

「ルーが泥棒《どろぼう》に気づかなかったなんて変だよね。」

「眠《ねむ》ってたのかなぁ。」

ヨシノさんは頭をひねった。

「でも、ルーはとてもびんかんなのよ。眠《ねむ》ってても、わたしが帰ってくるとすぐに気づいて出てくるし……。」

ヨシノさんが抱《だ》き寄《よ》せると、ルーはいつもと変わったふうはなく、つぶらな瞳《ひとみ》でヨシノさんを見上げていた。


ルーは泥棒《どろぼう》に対して、なぜほえなかったのだろうか。

解《かい》説《せつ》

泥棒《どろぼう》に入ったのは「ハッピー・ドッグ」の店長だった。ルーをしつけたのは店長なのだから、彼《かれ》にとってはルーをおとなしくさせるのはかんたんだ。店長は、この手口で何軒《けん》もの家に泥棒《どろぼう》に入っていたのである。

このように、最初からだます目的でものごとを仕組むことを「自作自演《じさくじえん》」という。

47

ウソつきの天才

失敗↓逆転《ぎゃくてん》？

今年のエイプリル・フールもまた、まんまとだまされてしまった。

あたしの親友のチホは天才的にウソがうまい。中学で知り合ってから今まで、毎年のようにだまされてる。

手に入りにくいアイドルのライブのチケットがとれたとか、あたしが貸《か》してた大事なマンガをなくしちゃったとか、駅前のラーメン屋さんで0円セールやってるとか、学校が爆破《ばくは》されたとか……たわいのないものからハードなやつまでバラバラで。だけど今年のはちょっとひどいと思ったんだ。ラブラブのはずの「彼氏《かれし》にフラれた」って連絡《れんらく》来て、すっごく心配したんだよ。すぐに会いに行きたいけどそれは無理だから。なんとかメールで元気づけようとしたのに。そのあとに届《とど》いた「ウッソだよー」って文字を見た瞬間《しゅんかん》、怒《いか》りがわき上がった。

人を心配させるウソって、ルール違反《いはん》じゃん？

なんて返事をしようか考えてるうちに夜の12時をすぎてしまった。

あーあ、なんだかイヤな気分。モヤモヤして眠《ねむ》れないよ。

朝になって。

あたしはチホにメールを送った。

「人を心配させるウソってサイテーだと思う。あたしはチホがキズついてたら地球の反対側からだってかけつけたい気持ちなのに。そういうウソ、おもしろくないよ。ガッカリした。チホとは絶交《ぜっこう》する。今後いっさい連絡《れんらく》してこないで。」

しばらくして、チホから返事が来た。4連発で。

「えええええ⁉」

「だってエイプリル・フールだよ？」

「信じられない。絶交《ぜっこう》？　あっそ。」
「エイプリル・フールの冗談《じょうだん》も通じない人だったなんてこっちこそガッカリ。」

うわ。やばい。
本気で絶交《ぜっこう》って書いたつもりじゃなかったのに、チホ、相当怒《おこ》ってるよ。
ちょっと反省してほしかっただけなのに。
このまま、絶交《ぜっこう》なんてやだ。
どうしよう……。
衝動的《しょうどうてき》にメール送ったりして、よくなかったなぁ。
取り消したいけど、もう遅《おそ》すぎる。
過去《かこ》にもどれたらいいのに。

そう思ったとき、あたしは名案を思いついたんだ。

主人公はどんなアイディアを思いついたのだろうか。

解説《かいせつ》

主人公はチホに「さっきのメールは、エイプリル・フールのウソでしたー！　あはは、だまされた⁉」というメールを送った。

チホが「だってもう4月2日だよ！」と返してくるのは想定ずみ。これに対して主人公は「こっちはまだ4月1日だもん」と返した。

主人公は、春休みでブラジルの親せきの家に滞在中《たいざいちゅう》だった。ブラジルは日本のちょうど反対側。日本のほうがブラジルより12時間早いので、日本が4月2日を迎《むか》えても、ブラジルではまだ4月1日ということがあり得《え》る。主人公がメールに書いた「地球の反対側からだって」は、もののたとえではなく本当のことだったのだ。

ちょっと反則《はんそく》めいたやりとりかもしれないが、おたがい様で引き分けというところだろうか。

48

グループをぬける方法

危機《きき》→逆転《ぎゃくてん》？

「オラ、早く車出せよ。」

後部座席《ざせき》でふんぞり返っているJ《ジェイ》が、運転シートを乱暴《らんぼう》にけった。

「はい。」

ヤマトはゆううつな気分で車を発進させた。

(犯罪者《はんざいしゃ》グループになんか入るんじゃなかった。ラクしてかせげると思ったのがまちがいだったんだ。)

この車に乗っているKD《ケーディー》、J《ジェイ》、BB《ビービー》の3人はいずれも犯罪《はんざい》グループの幹部《かんぶ》メンバーだ。これから取り引きの場に向かうところで、車には大量のドラッグを積んでいる。ヤマトは運転役を務《つと》めているというわけだ。

危険《きけん》な仕事の片棒《かたぼう》をかついでいるのに、もらえる金はほんのわずか。それに、このグループが思ったより恐《おそ》ろしい犯罪《はんざい》に手をそめているのを知るにつれ、ヤマトは自分のうかつさを後悔《こうかい》していた。

最近、ヤマトの頭の中は「どうしたら仲間からぬけられるか」でいっぱいだった。だが、それはかんたんではない。下っぱとはいえ内部の事情《じじょう》をいろいろ知ってしまっているのだから……「ぬけたい」と言ったら殺《ころ》されるかもしれない。

事務所《じむしょ》にいるとき、よくヤマトは「今ここに警察《けいさつ》が踏《ふ》みこんできて、全員逮捕《たいほ》されたらいいのに」と想像していた。「このグループの犯罪《はんざい》を匿名《とくめい》で通報《つうほう》したらどうか」と考えもしたけれど、ヤマトは事務所《じむしょ》の一角に住まわされ、つねに見張られ、携帯電話《けいたい》もチェックされている。幹部《かんぶ》もバカではない。新入りがおかしなことをするのではないかと警戒《けいかい》しているのだ。

「あれ？」

赤信号でブレーキを踏《ふ》んだヤマトは首をかしげた。燃料《ねんりょう》メーターの針《はり》が3分の1

を切っているのだ。残りは15リットルそこそこだ。

「なんだ？」

「ガソリンが減《へ》ってるんです。きのう満タンにしといたんですけど。おかしいな。」

助手席のＫＤ《ケーディー》がチッと舌《した》打ちをする。

「きのうの夜、だれか使いやがったのかな……。おまえ、もっと早く気づけよ！」

「すみません。」

ヤマトはそう言いながら、心臓《しんぞう》がドキドキと打ち始めるのを感じていた。

（あの思いつきを実行するなら、今かもしれない。）

ふだん、ヤマトは１人になれるチャンスがない。しかし、ガソリンスタンドで車から降《お》り……給油をすると見せかけて、こっそり走って逃《に》げてしまえば!?

とはいえ、逃《に》げきれるかはわからない。見つかったらどんな目にあわされるかと思うと、危険《きけん》な賭《か》けではあるが……。

「スタンドに寄《よ》りますよ。」

ヤマトは声がふるえそうになるのをこらえて言った。

ところが。

後ろからまたＪ《ジェイ》がシートをドカッとけった。

「トランクに20リットル入りのポリタンクが積んであるから、そこらへんで入れろ。」

「は、はい……。」

Ｊ《ジェイ》に心の中を見すかされているのではないかと、ヤマトはヒヤッとした。

適当《てきとう》な場所に車を停《と》めると、ヤマトは運転席から降《お》りてトランクからポリタンクをかつぎ出した。

ガソリンの給油キャップを開けたとき、ヤマトは後部座席《ざせき》のガラスごしにＪ《ジェイ》がじっと自分をにらみつけているのに気づいた。どんなときも、ヤマトは「見張られている」のを意識《いしき》せずにいられない。さっきまであの計画を実行しようかと考えていたヤマトには、今のＪ《ジェイ》のまなざしはとりわけきびしいものに感じられる。

ポリタンクのフタを開けてノズルをさしこむ。ヤマトが目線を上げると、Ｊ《ジェイ》は窓《まど》ガラスの向こうで口に手を当ててどなった。

「せっかくオレが用意してきたんだ、一滴《いってき》もこぼすなよ！」

「は、はい！」

ヤマトは慎重《しんちょう》に給油をすませると小走りで運転席にもどり、ハンドルを握《にぎ》った。


ガクン。

車が停止《ていし》したのは、三車線もある道路のど真ん中だった。

「何やってんだ。」

「いや、あの……おかしいな。」

ヤマトが何度試《ため》しても、エンジンはかからない。

「どうしたんだ！」

後ろからＪ《ジェイ》とＢＢ《ビービー》も顔色を変えて乗り出してくる。

「おい、かわれ！」

助手席のＫＤ《ケーディー》が無理やり運転席に乗りこんできてエンジンをかけようとするが、

車はまったく動こうとしない。
後ろには車がつかえており、やかましくクラクションが鳴り続けている。
数分後、車は警察官《けいさつかん》に取り囲まれていた。
ヤマトはわき上がるうれしさをおさえきれなかった。
（やった！　これで捕《つか》まえてもらえる……！）

この車はなぜ急に故障《こしょう》したのだろうか。

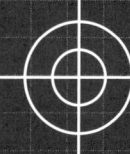

解説《かいせつ》

じつは、J《ジェイ》が用意したポリタンクの中身は灯油だった。幹部《かんぶ》クラスである彼《かれ》も、このグループを壊滅《かいめつ》させる機をねらっていたのだ。ガソリンタンクに灯油を入れた場合、しばらくはエンジンが動くがやがて停《と》まってしまう。逃《に》げ場がない状態《じょうたい》でエンジンがトラブルを起こす分量を想定し、あらかじめガソリンを減《へ》らしておいたのもJ《ジェイ》である。

もちろんヤマトは、ポリタンクを開けたときにガソリンとはちがうにおいがしたのを不思議に思った。そのときJ《ジェイ》が言った「せっかくオレが用意してきたんだ、一《いっ》滴《てき》もこぼすなよ！」という言葉にはヤマトに真意を伝える意図があった。「口に手を当てて」言ったのは、「よけいなことを言うな」というサインである。

ヤマトは車の様子を見るためにやってきた警察官《けいさつかん》にそっと耳打ちをし、違法《いほう》な薬物を運んでいることを教えた。車内は捜索《そうさく》され、車はレッカー移動され、乗っていたメンバーは全員逮捕《たいほ》されたのだった。

49

親切な家政婦《かせいふ》さん

危機《きき》→逆転《ぎゃくてん》？

母さんが、何年もめんどうを見てもらっている家政婦《かせいふ》のM《エム》さんに遺産《いさん》を分配すると言い出したとき、強く反対する気は起こらなかった。何しろ一人息子《むすこ》のオレが母さんを訪《たず》ねるのは、今やお盆《ぼん》と正月だけだしな。

父さんが死んだときは、母さんを東京に呼《よ》んでいっしょに暮《く》らそうかと思ったんだ。でも、母さんは住み慣《な》れた土地をはなれたくないと言う。

母さんは前に病気をしていて、あまりじょうぶではない。それが気がかりだったので、週に2、3回家に来てくれる家政婦《かせいふ》さんを探《さが》したのはオレだった。

家政婦《かせいふ》のM《エム》さんはオレと同世代で50歳《さい》くらいだが、仕事ができる上に母さんととても気が合うようだ。ときには仕事の時間外で、母さんの好きなミュージカルにいっしょに行ってくれたりするという。

「年ははなれてるけどね、友だちみたいになんでも話せちゃうの。娘《むすめ》がいたらあんな感じだったのかもね。」

M《エム》さんのことを話すとき、母さんはすごく楽しそうだ。

そんなふうに近くにいて親身になってくれている人に遺産《いさん》を分けたいと思うのは仕方ない。そういえば今年はいそがしくて、お盆《ぼん》に帰省できなかったし……。

次の正月休みに、オレは1人で母さんを訪《たず》ねた。年末から子どもがひどい風邪《かぜ》を引いていたので「今年は行かない」と連絡《れんらく》していたが、年が明けてから急に気が変わった。たとえ日帰りでも、顔を見に帰ろうと思ったんだ。

オレを迎《むか》えた母さんはあっけらかんとしていた。

「あんたもあんまり休みないでしょ。無理しなくてもよかったのに。来ないと思ってたわ。」

せっかく来たのにそりゃないだろうと思ったが、母さんが元気そうなのでひとまず安心した。しかし、こたつで向かい合っても、母さんと2人きりだと話がはずまなくて困《こま》る。テレビをつけようとしたが……。

「母さん、テレビはどこへやったの？」

「ああ、処分《しょぶん》したのよ。じゃまだし。M《エム》さんに手伝ってもらってね。」

確《たし》かに母さんは昔からテレビがあまり好きじゃなかった。でも、捨《す》てることはないんじゃないかなぁ？

「ニュースとか見ないの？」

「新聞とってるから十分よ。いざというときのためのラジオなら防災袋《ぼうさいぶくろ》に入ってるし。音楽を聞くのは、これ。」

母さんは小型《こがた》の音楽プレーヤーを出して見せる。

「M《エム》さんに頼《たの》めばね、あたしの好きな曲をこれに入れてくれるの。小さいから持ち運びも便利なのよ。」

見たことのない花びんは、M《エム》さんからのプレゼントだという。

食器棚《だな》にティーカップが2つ並《なら》んでいるのも、コップにおそろいの箸《はし》が2膳《ぜん》立てであるのも、M《エム》さんがここで家族のように長い時間をすごしていることを物語っている。

ともかく母さんは口を開けばM《エム》さん、M《エム》さんだ。

「そういえば石油ストーブは？」

「M《エム》さんが『ストーブは火事でも起きたら危《あぶ》ない』って言ってね。使ってない石油ヒーターをきのうわざわざ運んできてくれたの。ちょっと寒い？　ヒーターつけようか？」

ふーん。

M《エム》さんの親切さをほめるのもしらけてきたので、オレは無視《むし》してそこらへんに積んであった新聞を手に取った。

「それ、年末の新聞よ。」

「いいって。」

ひまつぶしに、何日か分の新聞をパラパラめくっているうちにオレはおかしなことに気づいた。どの新聞も、ときどき広告欄《こうこくらん》が切りぬかれているところがあるのだ。母さんに、こんな習慣《しゅうかん》はあっただろうか？

もしかしたら……。

とりあえずオレは立ち上がって、母さんがつけたばかりの石油ヒーターのスイッチを切ると、窓《まど》を開け放した。

主人公はなぜ石油ヒーターのスイッチを切ったのだろうか。

主人公の母は、テレビもラジオもない環境《かんきょう》にあって、ニュースに触《ふ》れるのは新聞だけ。その新聞からところどころ広告が切り取られている意味はなんだろう？　主人公は、Ｍ《エム》さんが持ってきた石油ヒーターと関係があるのではないかという疑《うたが》いを持ったのだ。

調べてみると、切り取られていたのは、「使用中に一酸化炭素中毒《いっさんかたんそちゅうどく》を起こす」不良品のヒーターの回収《かいしゅう》を呼《よ》びかける広告だった。そのヒーターとは、Ｍ《エム》さんが持ちこんだものと同じだったのである。遺産《いさん》の分配を持ちかけられていたＭ《エム》さんは、目立たない方法で母を殺《ころ》す計画を進めていたのだ。

50 プールサイドのユーチューバー

危機《きき》↓逆転《ぎゃくてん》？

「タクヤ、シュンちゃんのことよく見ててね。絶対《ぜったい》に目をはなさないでよ。それから熱中症《しょう》にならないように水分補給《ほきゅう》してね。」

母さんがこう言うのは朝から何回目だろう。

「だいじょうぶ。わかってるって。」

母さんの友だちの別荘《べっそう》に行くことになったとき、最初はあまり気が乗らなかった。近くに遊ぶとこもなさそうだし、どうせオレは弟のお守り役になるんだろうし。だけど、別荘《べっそう》は超豪華《ちょうごうか》で、しかもプールがあったんだ。学校のプールよりは小さいけど、高台にあるから景色が最高。プールサイドにはサマーベッドや、おしゃれなカフェにあるようなテーブルとイスもある。青い空、緑の山を背景《はいけい》に、プールサイドでまったりすごす……なかなかいい動画が撮《と》れそうだ。いっちょ、即興《そっきょう》でラップとかしてみようかな。カッコいい動画を撮《と》ってネットにアップしたら、友だちにうらやましがられるだろうな。一躍《いちやく》、人気ユーチューバーになれたりして。

「お兄ちゃん、早く！　ぼくが泳ぐとこもちゃんと撮《と》ってよ！」

シュンも楽しみでたまらない様子で、オレの水泳パンツを引っぱってくる。シュンは幼稚園《ようちえん》のプールで10メートル泳げたのが自慢《じまん》なのだ。

「じゃ、行ってくるよ。」

母さんは、オレがぶら下げてるバッグにチラッと目をやってもう一度念を押《お》す。

「スマホに夢中《むちゅう》になってシュンちゃんから目をはなさないでよ。それと、今度スマホを水没《すいぼつ》させたらもう買ってあげないからね。」

オレはうき輪で遊んでるシュンを5秒に一度は確認《かくにん》しながら、モバイルバッテリーにつないだスマホを三脚《さんきゃく》に固定し、いいアングルで撮《と》れる場所を探《さが》す。プールサイドででたらめにラップをしてからプールに飛びこむつもりなのだ。

「シュン、上がってこいよ。麦茶飲もう！」

シュンはプールサイドに上がってきて、ふざけて三脚《さんきゃく》に手をのばすふりをする。

「おっと、あぶなーい。」

「うわ――――っ、スマホが落ちる〜ぅ！」

大げさにあせった顔をしてやると、シュンは大笑いして喜ぶ。これはオレたちの間の定番のギャグみたいなもんだ。シュンは、前にオレが川でザリガニを撮《と》りながらスマホを落としたとき、オレが大あわてで川べりをかけずりまわってたのがよっぽどおかしかったらしい。

「まあ今度落としたらもう買ってもらえないんだから、マジで気をつけてくれよ。」

「わかった。気をつける！」

シュンはまじめな顔でうなずいた。

「じゃあ、今から兄ちゃんが動画撮《と》るから。」

「うん、ぼく見てる。」

撮影《さつえい》のスタートボタンを押《お》し、オレはクルッと一回転し、画面に向かって指を突《つ》きつけ「テイク1《ワン》！」とさけぶ。

「ヘイヘイ　夏だぜ　プールに来たぜ
ここは別荘《べっそう》　オレの別荘《べっそう》
ユーチューブでガッポリ　オレって金持ち
セミが鳴いてる　ハトも鳴いてる
腹《はら》も鳴ってる　そろそろ昼時　ランチタイム」

全然うまくラップができないんで、オレは一呼吸《ひとこきゅう》置くためにめちゃくちゃなダンスを始めた。シュンが座《すわ》ったまま笑い転げてるので調子に乗って、思いっきり変な顔をして画面に寄《よ》ったとき。足がもつれて、三脚《さんきゃく》にぶつかってしまったんだ。
「あ――――っ！」
プールのほうに倒《たお》れる三脚《さんきゃく》をつかもうとしたが、遅《おそ》かった。

シュンがプールサイドをはいずりながら、プールの水面に落ちていくスマホに手をのばす。

ヤバい！

オレは両手を前に出し、必死でジャンプした。

ボチャン！

――間に合った！

透明《とうめい》な水の中にしずんでいくスマホをながめながら、オレはホッと胸《むね》をなで下ろしていた。


スマホがプールに落ちてしまったのに、主人公はなぜホッとしているのだろうか。

解説《かいせつ》

シュンがスマホをつかんだままプールに落ちると大変なことになる。主人公はとっさの判断《はんだん》で、スマホはさておき、シュンがプールに落ちないよう抱《だ》きとめることに成功したのだ。

このスマホには充電《じゅうでん》バッテリーが接続《せつぞく》されていた。充電中《じゅうでんちゅう》の電化製品《せいひん》が水の中に落ちたときは感電する可能性《かのうせい》があるので、絶対《ぜったい》に水に手を入れてはいけない。場合によっては感電死することもあるのだ。

栗生こずえ

東京都生まれ。小説家、編集者、ライター。マンガを紹介する書籍の編集多数、児童書ではショートショートから少女小説、伝記まで幅広く手がける。『トリッククラブ キミは18の錯覚にだまされる!』(集英社みらい文庫)、『かくされた意味に気がつけるか? 3分間ミステリー 真実はそこにある』(ポプラ社)、『ストロベリーデイズ 初恋～トキメキの瞬間～』『ストロベリーデイズ 友情～くもりのち晴れ～』(主婦の友社)など。『必ず書ける あなうめ読書感想文』(学研プラス)はロングセラーを記録中。

装画　秋赤音
協力　金田　妙
装丁　小口翔平+奈良岡菜摘+三沢稜(tobufune)

3分間サバイバル
失敗《しっぱい》か成功《せいこう》か? 運命《うんめい》の選択《せんたく》

2020年11月初版　2025年5月第6刷

作　栗生こずえ
発行者　岡本光晴
発行所　株式会社あかね書房
〒101-0065 東京都千代田区西神田3-2-1
電話　営業 (03)3263-0641
　　　編集 (03)3263-0644
印刷・製本　中央精版印刷株式会社

NDC913　246ページ　19cm×13cm
©K.Aou 2020 Printed in Japan
ISBN978-4-251-09613-5
乱丁・落丁本はお取りかえします。定価はカバーに表示してあります。
https://www.akaneshobo.co.jp